黃鐘子爲天正林鐘未之衝丑爲地正太簇寅爲人正三正正始是以地正適其始紐于陽東北丑位易曰東北喪朋迺終有慶答應之義也　孟康曰未在西南陽也陰而入陽爲失其類也此注解東北喪朋

易曰參天兩地而倚數天之數始於一終於廿有五其義紀之以三故置一得三又廿五分之六凡廿五置終天之數得八十一以天地五位之合終於十者乘之爲八百一十分應歷一統千五百卅九歲之章數黃鐘之實也繇此之義起十二律之周徑地之數始于二終於卅其義紀之以兩故置一得二凡卅置終地之數得六十以地中數六乘之爲三百六十分當期之日林鐘之實人者繼天順地序氣成物統八卦調八風理八政正八節諧八音舞八佾監八方被八荒以終天地之功故八八六十四其義極天地之變以天地五位之合終於十者乘之爲六百四十分以應六十四卦太族之實也

天之中數五地之中數六而二者爲合六爲虛五爲聲周流于六虛虛者爻律夫陰陽登降運行列爲十二而律呂和矣



太極元氣函三爲一極中也元始也行於十二辰始動於子

夫律陰陽九六爻象所從出也

易金火相革之卦曰湯武革命順乎天而應乎人又曰治歷明時所以和人道也

元典歷始曰傳曰元善之長也共養三德爲善又曰元體之長也合三體而爲之原故曰元

傳曰天六地五數之常也天有六氣降生五味夫五六者天地之中合而民所受以生也故日有六甲辰有五子十一而天地之道畢言終而復始

元始有象一也春秋二也三統三也四時四也合而爲十成五體以五乘十大衍之數也而道據其一其餘四十九所當用也故蓍以爲數以象兩兩之又以象三三之又以象四四之又歸奇象閏十九及所據一加之因以再扐兩之是爲月法之實如日法得一則一月之日數也而三辰之會交矣是以能生吉凶故易曰天一地二天三地四天五地六天七地八天九地十天數五地數五五

位相得而各有合天數廿有五地數卅凡天地之數五十有五此所以成變化而行鬼神也并終數爲十九易窮則變故爲閏法

易九戹曰初入元百六陽九次三百七十四陰九次四百八十陽九次七百廿陰七次七百廿陽七次六百陰五次六百陽五次四百八十陰三次四百八十陽三凡四千六百一十七歲與元終經歲四千五百六十災歲五十七

五行與三統相錯傳曰天有三辰地有五行然則三統五星可知也易曰參五以變錯綜其數通其變遂成天下之文極其數遂定天下之象太極運三辰五星於上而元氣轉三統五行於下其於人皇極統三德五事

天以一生水地以二生火天以三生木地以四生金天以五生土五勝相乘以生小周以乘乾坤之策而成大周陰陽比類交錯相成故九六之變登降於六體三微而成著三著而成象二象十有八變而成卦四營而成易爲七十二參三統兩四時相乘之數也參之則得乾之策兩之則得坤之策以陽九九之爲八百四十八以陰六六之爲四百三十二凡一千八十陰陽各一卦之微算策



也八之爲八千六百四十而八卦小成引而信之又八之爲六萬九千一百廿天地再之爲十三萬八千二百四十然後大成五星會終觸類而長之以乘章歲爲二百六十二萬六千五百六十而與日月會三會爲七百八十七萬九千六百八十而與三統會三統二千三百六十三萬九千四十而復於太極上元九章歲而六之爲法太極上元爲實實如法得一陰一陽各萬一千五百廿當萬物氣體之數天下之能事畢矣

易曰炮犧氏之王天下也言炮犧繼天而王爲百王先首德始于木故爲帝太昊作罔罟以田漁取犧牲故天下號曰炮犧氏

易曰炮犧氏沒神農氏作言共工伯而不王雖有水德非其序也以火承木故爲炎帝教民耕農故天下號曰神農氏

易曰神農氏沒黃帝氏作火生土故爲土德與炎帝之後戰于阪泉遂王天下始垂衣裳有軒冕之服故天下號曰軒轅氏

禮樂志王者未作樂之時因先王之樂以教化百姓說樂其俗然後改作以章

功德易曰先王以作樂崇德殷薦之上帝以配祖考
食貨志殷周之盛詩書所述要在安民富而教之故易稱天地之大德曰生聖人之大寶曰位何以守位曰仁何以聚人曰財財者帝王所以聚人守位養成羣生奉順天德治國安民之本也
國師公劉歆言周有泉府之官收不讐與欲得即易所謂理財正辭禁民爲非者也
贊曰易稱裒多益寡稱物平施書云楙遷有無周有泉府之官而孟子亦非狗彘食人之食不知斂野有餓莩而弗知發故管氏之輕重李悝之平糴弘羊均輸壽昌常平亦有從徠
郊祀志制詔御史朕臨天下二十有八年天若遺朕士而大通焉乾稱飛龍鴻漸于般朕意庶幾與焉　孟康曰般水涯堆也此見史記
劉向曰易大傳曰誣神者殃及三世
杜鄴說王商曰東鄰殺牛不如西鄰之禴祭言奉天之道貴以誠質大得民心



也行穢祀豐猶不蒙祐德修薦薄吉必大來
天文志箕星爲風東北之星也東北地事天位也故易曰東北喪朋及巽在東南爲風風陽中之陰大臣之象也其星軫也月去中道移而東北入箕若東南入軫則多風西方爲雨雨少陰之位也月失中道移而西入畢則多雨　孟康曰東北陽日月五星起於牽牛故爲天位坤在西南紐于陽爲地統故爲地事
五行志易曰天垂象見吉凶聖人象之河出圖洛出書聖人則之劉歆以爲虙羲氏繼天而王受河圖則而畫之八卦是也禹治洪水賜雒書法而陳之洪範是也聖人行其道而寶其眞降及于殷箕子在父師位而典之　又以爲河圖雒書相爲經緯八卦九章相爲表裏昔殷道弛文王演周易周道敝孔子述春秋則乾坤之陰陽效洪範之咎徵天人之道粲然著矣
左氏說曰天以一生水地以二生火天以三生木地以四生金天以五生土五位皆以五而合陰陽易位故曰妃以五成然則水之大數六火七木八金九土十故水以天一爲火二牡以天三爲土十牡土以天五爲水六牡火以天七爲

金四牡金以天九爲木八牡陽奇爲牡陰偶爲妃故水火之牡也火水妃也於易坎爲水爲中男離爲火爲中女盖取諸此也

劉向以爲於易雷以二月出其卦曰豫言萬物隨雷出地皆逸豫也以八月入其卦曰歸妹言雷復歸入地則孕毓根核保藏蟄蟲避盛陰之害出地則長養華實發揚隱伏宣盛陽之德入能除害出能興利人君之象也

谷永曰易稱得臣无家言王者臣天下無私家也

孔子曰君子居其室出其言不善則千里之外違之况其邇者虖詩云如蜩如螗如沸如羹言上號令不順民心虛譁憒亂則不能治海內

劉歆以爲於易剛而包柔爲離

劉向以爲今十月周十二月於易五爲天位爲君位九月陰氣至五通於天位其卦爲剝剝落萬物始大殺矣明陰從陽命臣受君令而後殺也

劉歆以爲易有鼎卦鼎宗廟之器主器奉宗廟者長子也一曰鼎三足三公象而以耳行



京房易傳曰枯楊生稊枯木復生人君亡子

成帝河平元年二月庚子泰山山桑谷有鳶焚其巢有三鳶燒死太守平以聞

易曰鳥焚其巢旅人先笑後號咷鳶貪虐之類也天戒若曰勿近貪虐之人聽其賊謀將生焚巢自害其子絶世易姓之禍京房易傳曰人君暴虐鳥焚其舍

劉向以爲周十月今八月也消卦爲觀陰氣未至君位而殺誅罰不由君出在臣下之象也 前釋僖卅三年十二月隕霜不殺草此釋定元年十月隕霜殺菽

京房易傳曰潛龍勿用衆逆同志至德乃潛

京房易傳曰經傳觀其生言大臣之義當觀賢人知其性行推而貢之否則爲聞善不與 經曰艮馬逐逐進也言大臣得賢者當顯進其人否則爲下相攘善

京房易傳曰小人剝廬厥妖山崩兹謂陽乘陰弱勝强

易曰雲從龍又曰龍蛇之蟄以存身也陰氣動故有龍蛇之孽於易乾爲君爲馬馬任用而彊力君氣毀故有馬禍

京房易傳曰幹父之蠱有子考亡咎子三年不改父道思慕不皇亦重見先人之非不則爲私

成帝建始三年渭水虒上小女陳持弓年九歲走入横城門入未央宫小女而入宫殿中者下人將因女寵而居有宫室之象也名曰持弓有似周家檿弧之祥易曰弧矢之利以威天下

易曰縣象著明莫大於日月是故聖人重之於易在豐之震曰豐其沛日中見昧折其右肱无咎於詩十月之交則著卿士司徒下至趣馬師氏咸非其材明小人乘君子陰侵陽之原也

左氏傳平子曰唯正月朔慝未作說曰正月謂周六月夏四月正陽純乾之月也慝謂陰爻也冬至陽爻起初故曰復至建巳之月爲純乾亡陰爻而陰侵陽爲災重故伐鼓用幣責陰之禮

京房易傳曰婦貞厲月幾望君子征凶言君弱而婦强爲陰所乘

京房易傳曰夫大人者與天地合其德與日月合其明故聖王在上總命羣賢




以亮天功則日之光明五色備具燭燿亡主有主則爲異應行而變也色不虛改形不虛毀觀日之五變足以監矣故曰縣象著明莫大乎日月此之謂也

地理志昔在黄帝作舟車以濟不通旁行天下方制萬里畫壄分州百里之國萬區是故易稱先王以建萬國親諸侯書云協和萬國此之謂也

藝文志易曰宓戲氏仰觀象於天俯觀法於地觀鳥獸之文與地之宜近取諸身遠取諸物於是始作八卦以通神明之德以類萬物之情至於殷周之際紂在上位逆天暴物文王以諸侯順命而行道天人之占可得而效於易重易六爻作上下篇孔氏爲之彖象繫辭文言序卦之屬十篇故曰易道深矣人更三聖世歷三古及秦燔書而易爲筮卜之事傳者不絕漢興田何傳之訖于宣元有施孟梁丘京氏列於學官而民間有費高二家之說劉向以中古文易經校施孟梁丘或脱去無咎悔亡唯費氏經與古文同

易曰河出圖雒出書聖人則之故書之所起遠矣

易曰有夫婦父子君臣上下禮義有所錯而帝王質文世有損益至周曲爲之

防事爲之制故曰禮經三百威儀三千
易曰先王作樂崇德殷薦之上帝以享祖考故自黃帝下至三代樂各有名孔子曰安上治民莫善於禮移風易俗莫善於樂二者相與並行周衰俱壞樂尤微眇以音律爲節又爲鄭衞所亂故無遺法
易曰上古結繩以治後世聖人易之以書契百官以治萬民以察蓋取諸夬夬揚于王庭言其宣揚於王者朝廷其用最大也
六藝之文樂以和神仁之表也詩以正言義之用也禮以明體明者著見故無訓也書以廣聽智之術也春秋以斷事信之符也五者蓋五常之道相須而備而易爲之原故曰易不可見則乾坤或幾乎息矣言與天地爲終始也
道家者流蓋出於史官歷記成敗存亡禍福古今之道然後知秉要執本清虛以自守卑弱以自持此君人南面之術也合於堯之克讓易之嗛嗛一謙而四益此其所長也師古曰益謂天道虧盈而益謙地道變盈而流謙鬼神害盈而福謙人道惡盈而好謙也
法家者流蓋出於理官信賞必罰以輔禮制易曰先王以明罰飭法此其所長



也
易曰古者弦木爲弧剡木爲矢弧矢之利以威天下其用尚矣後世燿金爲用割革爲甲器械甚備下及湯武受命以師克亂而濟百姓動之以仁義行之以禮讓司馬法是其遺事也
天文者序廿八宿步五星日月以紀吉凶之象聖王所以參政也易曰觀乎天文以察時變然星事殉悍非湛密者弗能由也夫觀景以譴形非明王亦不能服聽也以不能由之臣諫不能聽之主此所以兩有患也
蓍龜者聖人之所用也書曰女則有大疑謀及卜筮易曰定天下之吉凶成天下之亹亹者莫善於蓍龜是故君子將有爲也將有行也問焉而以言其受命也如嚮無有遠近幽深遂知來物非天下之至精其孰能與於此及至衰世解於齋戒而婁煩卜筮神明不應故筮瀆不告易以爲忌龜厭不告詩以爲刺
禨占者紀百事之象候善惡之徵易曰占事知來

數術者皆明堂羲和史卜之職也史官之廢久矣其書既不能具雖有其書而無其人易曰苟非其人道不虛行

楚元王傳　穆生稱疾申公白生强起之穆公曰易稱知幾其神乎幾者動之微吉凶之先見者也君子見幾而作不俟終日先王之所以禮吾三人爲道之存故也今而忽之是忘道也忘道之人胡可與久處豈爲區區之禮哉

劉向封事曰讒邪進則衆賢退羣枉盛則正士消故易有否泰小人道長君子道消君子道消則政日亂故爲否否者閉而亂也君子道長小人道消小人道消則政日治故爲泰泰者通而治也詩又云雨雪麃麃見晛聿消與易同義易曰渙汗其大號言號令如汗汗出而不反者也今出善令未能踰時而反是反汗也　賢人在上位則引其類而聚之於朝易曰飛龍在天大人聚也在下位則思與其類俱進易曰拔茅茹以其彙征吉在上則引其類在下則推其類故湯用伊尹不仁者遠而衆賢至類相致也

劉向疏曰易曰安不忘危存不忘亡是以身安而國家可保也故賢聖之君博觀終始窮極事情而是非分明王者必通三統明天命所授者博非獨一姓也易曰古之葬者厚衣之以薪臧之中野不封不樹後世聖人易之以棺槨棺槨之作自黃帝始

劉向封事曰易曰君不密則失臣臣不密則失身幾事不密則害成惟陛下深留聖思審固幾密覽往事之戒以折中取信

劉向上奏曰異有小大希稠占有舒疾緩急而聖人所以斷疑也易曰觀乎天文以察時變

董仲舒傳仲舒對策曰皇皇求財利常恐乏匱者庶人之意也皇皇求仁義常恐不能化民者大夫之意也易曰負且乘致寇至乘車者君子之位也負擔者小人之事也此言居君子之位而爲庶人之行者其患禍必至也若居君子之位當君子之行則舍公儀休之相魯亡可爲者矣

杜周傳杜欽言易曰正其本萬物理　師古曰今易無此文

司馬遷傳太史公曰易著天地陰陽四時五行故長於變禮綱紀人倫故長於

行書記先王之事故長於政詩記山川谿谷禽獸草木牝牡雌雄故長於風樂樂所以立故長於和春秋辨是非故長於治人是故禮以節人樂以發和書以道事詩以達意易以道化春秋以道義　此史記文

報任安書曰蓋西伯拘而演周易仲尼戹而作春秋

武五子贊倉頡作書止戈爲武聖人以武禁暴整亂止息干戈非以爲殘而興縱之也易曰天之所助者順也人之所助者信也君子履信思順自天祐之吉無不利也故車千秋指明蠱情章太子之冤千秋材知未必能過人也以其銷惡運遏亂原因衰激極道迎善氣傳得天人之祐助云

嚴助傳淮南王安上書曰易曰高宗伐鬼方三年而克之鬼方小蠻夷高宗殷之盛天子也以盛天子伐小蠻夷三年而後克言用兵之不可不重也

朱雲傳雲從博士白子友受易是時少府五鹿充宗貴幸爲梁邱易自宣帝時善梁丘氏說元帝好之欲考其異同令充宗與諸易家論充宗乘貴辯口諸儒莫能與抗皆稱疾不敢會有薦雲者召入攝齋登堂抗首而請音動左右既論難連拄五鹿君故諸儒爲之語曰五鹿嶽嶽朱雲折其角

陳湯傳劉向疏曰易曰有嘉折首獲匪其醜言美誅首惡之人而諸不順者皆來從也



王貢兩龔鮑傳贊曰易稱君子之道或出或處或默或語言其各得道之一節譬諸草木區以別矣故曰山林之士往而不能反朝廷之士入而不能出二者各有所短

魏相丙吉傳相明易經有師法奏曰臣聞易曰天地以順動故日月不過四時不忒聖王以順動故刑罰淸而民服天地變化必繇陰陽陰陽之分以日爲紀日冬夏至則八風之序立萬物之性成各有常職不得相干東方之神太昊乘震執規司春南方之神炎帝乘離執衡司夏西方之神少昊乘兌執矩司秋北方之神顓頊乘坎執權司冬中央之神黃帝乘坤艮執繩司下土茲五帝所司各有時也東方之卦不可以治西方南方之卦不可以治北方春興兌治則饑秋興震治則華冬興離治則泄夏興坎治則雹明王謹于尊天愼于養人故立

羲和之官以乘四時節授民事君動靜以道奉順陰陽則日月光明風雨時節寒暑調和三者得敘則災害不生五穀熟絲麻遂草木茂鳥獸蕃民不夭疾衣食有餘若是則君尊民說上下亡怨政教不違禮讓可興夫風雨不時則傷農桑農桑傷則民飢寒飢寒在身則亡廉恥寇賊姦軌所繇生也臣愚以爲陰陽者王事之本羣生之命自古賢聖未有不繇者也

京房傳房治易事梁人焦延壽字贛贛常曰得我道以亡身者必京生也其說長於災變分六十四卦更直日用事以風雨寒溫爲候各有占驗房用之尤精

孟康曰分卦直日之法一爻主一日六十卦爲三百六十日餘四卦震離兌坎爲方伯監司之官所以用震離兌坎者是二至二分用事之日又是四時各專王之氣各卦主時其占法各以其日觀其善惡也

房上封事曰辛酉以來蒙氣衰去太陽精明臣獨欣然以爲陛下有所定也然少陰倍力而乘消息臣疑陛下雖行此道猶不得如意臣竊悼懼守陽平侯鳳欲見未得至己卯臣拜爲太守此言上雖明下猶勝之効也臣出之後恐必爲



用事者所蔽身死而功不成故願歲盡乘傳奏事蒙哀見許迺辛巳蒙氣復乘卦太陽侵色此上大夫覆陽而上意疑也己卯庚辰之間必有欲隔絕臣令不得乘傳奏事者　少陰倍力而乘消息孟康曰房以消息卦爲辟辟君也息卦曰太陰消卦曰太陽其餘卦曰少陰少陽謂臣下也并力襍卦氣干消息也

辛巳蒙氣復乘卦太陽侵色張晏曰晉卦解卦也太陽侵色謂大壯也

房至新豐因郵上封事曰臣以六月中言遯卦不效法曰道人始去寒涌水爲災至其七月涌水出

房至陝復上封事曰乃丙戌小雨丁亥蒙氣去然少陰并力而乘消息戊子益甚到五十分蒙氣復起此陛下欲正消息襍卦之黨并力而爭消息之氣不勝彊弱安危之機不可不察己丑夜有還風盡辛卯太陽復侵色至癸巳日月相薄此邪陰同力而太陽爲之疑也　戊子益甚到五十分蒙氣復起孟康曰分一日爲八十分分起夜半是爲□闕字戊子之日日在巳西而蒙也蒙常以晨夜今向日中而蒙起是臣黨盛君不勝也　己丑夜有還風盡辛卯孟康曰諸卦

氣以寒温不效後九十一日爲還風還風暴風也風爲教令言政令還也　至
癸巳日月相薄孟康曰京房易傳曰雖非日月同宿之時陰道盛猶上薄日光
如此但日無光不食也
翼奉傳奉對上曰顯諸仁藏諸用露之則不神獨行則自然矣
奉奏封事曰易有陰陽詩有五際春秋有災異皆列終始推得失考天心以言
王道之安危
李尋傳尋對曰易曰縣象著明莫大乎日月夫日者衆陽之長煇光所燭萬里
同晷人君之表也故日將旦清風發羣陰伏君以臨朝不牽於色日初出炎以
陽君登朝佞不行忠直進不蔽障日中煇光君德盛明大臣奉公日將入專[illegible]
壹君就房有常節君不修道則日失其度晻昧亡光各有云爲其於東方作[illegible]
初出時陰雲邪氣起者法爲牽於女謁有所畏難日出後爲近臣亂政日中爲
大臣欺誣日且入爲妻妾役使所營　月者衆陰之長銷息見伏百里爲邑千
里立表萬里連紀妃后大臣諸侯之象也朔晦正終始弦爲繩墨望成君德春



夏南秋冬北　善言天者必有效於人設上農夫而欲冬田肉袒深耕汗出種
之然猶不生者非人心不至天時不得也易曰時止則止時行則行動靜不失
其時其道光明
贊曰幽贊神明通合天人之道者莫著乎易春秋然子贛猶云夫子之文章可
得而聞夫子之言性與天道不可得而聞已矣
蓋寬饒傳寬饒封事引韓氏易傳言五帝官天下三王家天下家以傳子官以
傳賢若四時之運成功者去不得其人則不居其位
宣元六王傳諫大夫駿諭淮陽憲王曰易曰藉用白茅无咎言臣子之道改過
自新絜己以承上然後免於咎也
王商傳太中大夫蜀郡張匡其人佞巧上書對日蝕左將軍丹等問匡對曰易
曰日中見昧則折其右肱　蘇林曰日者君之象中者明之盛盛而昧折去右
肱之臣用無咎也　又云商虧損盛德有鼎折足之凶
谷永傳永對曰夏商之將亡也行道之人皆知之晏然自以若天有日莫能危

是故惡日廣而不自知大命傾而不寤易曰危者有其安者也亡者保其存者也

又云易曰濡其首有孚失是泰所以二世十六年而亡者養生大奢奉養泰厚也　師古曰言躭樂無節飲酒濡首有信之道於是遂失也

又云易曰在中饋無攸遂言婦人不得與事也

永對災異曰陛下承八世之功業當陽數之標季涉三七之節紀遭无妄之卦運直百六之災阸　陽數標季孟康曰陽九之末季也　三七之節紀孟康曰至平帝廼三七二百一十歲之厄今已涉向其節紀　无妄卦運應劭曰天必先雲而後雷雷而後雨而今無雲而雷无妄者無所望也萬物無所望於天災異之最大者也

又云諸夏舉兵萌在民饑饉而吏不卹興於百姓困而賦斂重發於下怨離而上不知易曰屯其膏小貞吉大貞凶　永於經書汎爲疏達與杜欽杜鄴畧等不能洽浹如劉向父子及揚雄也其於天官京氏易最密



杜鄴傳鄴對方正策曰日食明陽爲陰所臨坤卦乘離明夷之象也坤以法地爲土爲母以安靜爲德震不陰之效也　應劭曰明夷上六不明晦初登于天後入于地明夷者明傷也初登于天者初爲天子以善聞於天也後入于地者傷賢害仁佞惡在朝必以惡終入于地也

揚雄傳解嘲云且吾聞之炎炎者滅隆隆者絶觀雷觀火爲盈爲實天收其聲地藏其熱高明之家鬼瞰其室

觀易者見其卦而名之觀言者數其晝而定之

解難云宓犧氏之作易也緜絡天地經以八卦文王坿六爻孔子錯其象而彖其辭然後發天地之藏定萬物之基

劉歆謂雄曰今學者有祿利然尚不能明易又如玄何吾恐後人用覆醬瓿也雄笑而不應

儒林傳漢興言易自淄川田生

自魯商瞿子木受易孔子以授魯橋庇子庸子庸授江東馯臂子弓子弓授燕

周醜子家子家授東武孫虞子乘子乘授齊田何子裝及秦禁學易爲筮卜之書獨不禁故傳受者不絕也漢興田何以齊田徙杜陵號杜田生授東武王同子中雒陽周王孫丁寬齊服生皆著易傳數篇同授淄川楊何字叔元元光中爲太中大夫齊郎墨成至城陽相廣川孟但爲太子門大夫魯周霸莒衡胡臨淄主父偃皆以易至大官要言易者本之田何丁寬字子襄梁人也初梁項生從田何受易時寬爲項生從者讀易精敏材過項生遂事何學成何謝寬寬東歸何謂門人曰易以東矣寬至雒陽復從周王孫受古義號周氏傳景帝時寬爲梁孝王將軍距吳楚號丁將軍作易說三萬言訓故舉大誼而已今小章句是也寬授同郡碭田王孫王孫授施讎孟喜梁丘賀繇是易有施孟梁丘之學施讎字長卿沛人也沛與碭相近讎爲童子從田王孫受易後讎徙長陵田王孫爲博士復從卒業與孟喜梁丘賀并爲門人謙讓常稱學廢不教授及梁丘賀爲少府事多遣子臨分將門人張禹等從讎問讎自匿不肯見賀固請不得已迺授臨等於是賀薦讎結髮事師數十年賀不能及詔拜讎爲博士甘露



中興五經諸儒襍論同異於石渠閣讎授張禹琅邪魯伯伯爲會稽太守禹至丞相禹授淮陽彭宣沛戴崇子平崇爲九卿宣大司空禹宣皆有傳魯伯授太山毛莫如少路琅邪邴丹曼容著清名莫如至常山太守此其知名者也繇是施家有張彭之學孟喜字長卿東海蘭陵人也父號孟卿善爲禮春秋授后蒼疏廣世所傳后氏禮疏氏春秋皆出孟卿孟卿以禮經多春秋煩襍迺使喜從田王孫受易喜好自稱譽得易家候陰陽災變書詐言師田生且死時枕喜鄰獨傳喜諸儒以此耀之同門梁丘賀疏通證明之曰田生絕於施讎手中時喜歸東海安得此事又蜀人趙賓好小數書後爲易飾易文以爲箕子明夷陰陽氣亡箕子箕子者萬物方荄茲也賓持論巧慧易家不能難皆曰非古法也云受孟喜喜爲名之後賓死莫能持其說喜因不肯仞以此不見信喜舉孝廉爲郎曲臺署長病免爲丞相掾博士缺衆人薦喜上聞喜改師法遂不用喜喜授同郡白光少子沛翟牧子兄皆爲博士繇是有翟孟白之學梁丘賀字長翁琅邪諸人也以能心計爲武騎從太中大夫京房受易房者淄川楊何弟子也房

出爲齊郡太守賀更事田王孫宣帝時聞京房爲易明求其門人得賀賀時爲都司空令坐事免爲庶人待詔黃門數入說教侍中以召賀賀入說上善之以賀爲郎會八月飲酎行祠孝昭廟先敺旄頭劍挺墮墜首垂泥中刃鄉乘輿車馬驚於是召賀筮之有兵謀不吉上還使有司侍祠是時霍氏外孫代郡太守任宣坐謀反誅宣子章爲公車丞亡在渭城界中夜玄服入廟居郎閒執戟立廟門待上至欲爲逆發覺伏誅故事上常夜入廟其後待明而入自此始也賀以筮有應繇是近幸爲太中大夫給事中至少府爲人小心周密上信重之年老終官傳子臨亦入說爲黃門郎甘露中奉使問諸儒於石渠臨學精孰專行京房法琅邪王吉通五經聞臨說善之時宣帝選高材郎十人從臨講書迺使其子郎中駿上疏從臨受易臨代五鹿充宗君孟爲少府駿御史大夫自有傳充宗授平陵士孫張仲方沛鄧彭祖子夏齊衡咸長賓張爲博士至揚州牧光祿大夫給事中家世傳業彭祖眞定太傅咸王莽講學大夫繇是梁邱有士孫鄧衡之學京房受易梁人焦延壽延壽云嘗從孟喜問易會喜死房以爲延壽



易即孟氏學翟牧白生不肯皆曰非也至成帝時劉向校書考易說以爲諸易家說皆祖田何楊叔丁將軍大誼畧同唯京氏爲異黨焦延壽獨得隱士之說託之孟氏不相與同房以明災異得幸爲石顯所譖誅自有傳房授東海殷嘉河東姚平河南乘弘皆爲郎博士繇是易有京氏之學費直字長翁東萊人也治易至單父令長於卦筮亡章句徒以彖象系辭十篇文言解說上下經琅邪王璜平中能傳之璜又傳古文尚書高相沛人也治易與費公同時其學亦亡章句專說陰陽災異自言出於丁將軍傳至相相授子康及蘭陵毋將永康以明易爲郎永至豫章都尉及王莽居攝東郡太守翟誼謀舉兵誅莽事未發康候知東郡有兵私語門人門人上書言之後數月翟誼兵起莽召問對受師高康莽惡之以爲惑衆斬康繇是易有高氏學高費皆未嘗立於學官

韓嬰燕人也景帝時至常山太傅燕趙閒言詩者由韓生韓生亦以易授人推易意而爲之傳燕趙閒好詩故其易微唯韓氏自傳之後其孫商爲博士孝宣時涿郡韓生其後也以易徵待詔殿中曰所受易即先太傅所傳也嘗受韓

詩不如韓氏易深太傅故專傳之司隸校尉蓋寬饒本受易於孟喜見涿韓生說易而好之卽更從受學

贊曰自武帝立五經博士開弟子員書唯歐陽禮后易楊春秋公羊而已至孝宣世復立大小夏侯尚書大小戴禮施孟梁丘易穀梁春秋至元帝世復立京氏易平帝時又立左氏春秋毛詩逸禮古文尚書

貨殖傳序　昔先王之制自天子公侯卿大夫士至于皁隸抱關擊柝者其爵祿奉養宮室車服棺槨祭祀死生之制各有差品小不得僭大賤不得踰貴矣然故上下序而民志定於是辨其土地川澤丘陵衍沃原隰之宜教民種樹畜養五穀六畜及至魚鱉鳥獸雚蒲材幹器械之資所以養生送終之具靡不皆育育之以時而用之有節草木未落斧斤不入於山林豺獺未祭罝網不布於壄澤鷹隼未擊矰弋不施於徯隧旣順時而取物然猶山不茬蘖澤不伐夭蝝魚麛卵咸有常禁所以順時宣氣蕃阜庶物稸足功用如此之備也然後四民因其土宜各任智力夙興夜寐以治其業相與通功易事交利而俱贍非有徵



發期會而遠近咸足故易曰后以裁成輔相天地之宜以左右民備物致用立成器以爲天下利莫大乎聖人此之謂也

外戚傳成帝報許后書曰五月庚子鳥焚其巢太山之域易曰鳥焚其巢旅人先咲後號咷喪牛于易凶言王者處民上如鳥之處巢也不顧卹百姓百姓畔而去之若鳥之自焚也雖先快意說咲其後必號而無及也百姓喪其君若牛亡其毛也故稱凶太山王者易姓告代之處今正於岱宗之山甚可懼也

贊曰易著吉凶而言謙盈之效天地鬼神至於人道靡不同之

元后傳鳳上疏乞骸骨謝上曰五經傳記師所誦說咸以日蝕之咎在於大臣非其人易曰折其右肱此臣二當退也

王莽傳張竦草奏稱莽功德曰開門延士下及白屋婁省朝政綜管衆治親見牧守以下考跡雅素審知白黑詩云夙夜匪解以事一人易曰終日乾乾夕惕若厲公之謂矣

司徒王尋將十餘萬屯雒陽塡南宮尋初發長安宿霸昌廐亡其黃鉞尋士房

揚素狂直廼哭曰此經所謂喪其齊斧者也自劾去　應劭曰齊利也
莽進杜陵史氏女爲皇后封皇后父諶爲和平侯是日大風發屋折木羣臣上
壽曰廼庚子雨水灑道辛丑清靚無塵其夕穀風迅疾從東北來辛丑巽之宮
日也巽爲風爲順后誼明母道得溫和慈惠之化也易曰受茲介福于其王母
禮曰承天之慶萬福無疆諸欲依廢漢火劉皆沃灌雪除殄滅無餘襍矣
明學男張邯曰易言伏戎于莽升其高陵三歲不興莽皇帝之名升謂劉伯升
高陵謂高陵侯子翟義也言劉升翟義爲伏戎之兵於新皇帝世猶殄滅不興
也

敘傳王命論曰鴑蹇之乘不騁千里之塗燕雀之疇不奮六翮之用楶梲之材
不荷棟梁之任斗筲之子不秉帝王之重易曰鼎折足覆公餗不勝其任也

明紀永平六年王雒山出寶鼎詔曰易曰鼎象三公豈公卿奉職得其理邪

順紀永建六年詔曰易美損上益下書稱安民則惠

桓紀和平元年梁太后詔曰及今令辰皇帝稱制羣公卿士虔恭爾位戮力一
意勉同斷金展也大成則所望矣

和帝和熹皇后紀元初五年平望侯劉毅上書曰易載羲農而皇德著書述唐
虞而帝道崇

順烈梁后紀永建三年選入掖庭筮得坤之比遂以爲貴人常特被引御從容
辭於帝曰夫陽以博施爲德陰以不專爲義螽斯則百福之所由興也願陛下
思雲雨之均澤識貫魚之次序使小妾得免罪謗之累

律歷志元和二年章帝詔曰朕聞古先聖王先天而天不違後天而奉天時
賈逵論歷曰易金火相革之卦象曰君子以治歷明時又曰湯武革命順乎天
應乎人言聖人必歷象日月星辰明數不可貫數千萬歲其間必改更先距求
度數取合日月

祭祀志注黃圖載元始儀云元始四年宰衡莽奏曰在易泰卦乾坤合體天地
交通萬物聚出其律太簇

天文志易曰天垂象聖人則之庖犧氏之王天下仰則觀象於天俯則觀法於

地觀象於天謂日月星辰觀法於地謂水土州分形成於下象見於上
五行志易曰時乘六龍以御天行天者莫若龍行地者莫如馬　易曰拔茅茹
以其彙征吉茅喻羣賢也
輿服志詩刺彼已之子不稱其服傷其敗化易譏負且乘致寇至言小人乘君
子器盜思奪之矣
後世聖人觀乎天視斗周旋魁方杓曲以攜龍角為帝車於是迺曲其輈乘牛
駕馬登險赴難周覽八極故易震乘乾謂之大壯言器莫能有上之者也
易曰庖犧氏之王天下也仰觀象於天俯觀法於地觀鳥獸之文與地之宜近
取諸身遠取諸物於是始作八卦以通神明之德以類萬物之情黃帝堯舜垂
衣裳而天下治蓋取諸乾巛乾巛有文故上衣玄下裳黃
魯恭傳恭諫和帝擊匈奴疏曰人道乂於下則陰陽和於上祥風時雨覆被遠
方夷狄重譯而至矣易曰有孚盈缶終來有它吉言甘雨滿我之缶誠來有我
而吉已夫以德勝人者昌以力勝人者亡　又諫盛夏斷獄疏曰案易五月姤



用事經曰后以施令誥四方言君以夏至之日施命令止四方行者所以助微
陰也行者尚止之況於逮召考掠奪其時哉　又議冬至斷獄奏曰易曰潛龍
勿用言十一月十二月陽氣潛藏未得用事雖煦嘘萬物養其根荄而猶盛陰
在上地凍水冰陽氣否隔閉而成冬故曰履霜堅冰陰始凝也馴致其道至堅
冰也言五月微陰始起至十一月堅冰至也夫王者之作因時為法易十二月
君子以議獄緩死可令疑罪使詳其法大辟之科盡冬月乃斷其立春在十二
月中者勿以報囚如故事
魯丕謝論經賜衣疏曰觀乎人文化成天下陛下既廣納謇謇以開四聰無令
芻蕘以言得罪
趙典傳兄子温與李傕書曰於易一為過再為涉三而弗改滅其頂凶
馮衍傳衍說廉丹叛王莽曰蓋以死易生以存易亡君子之道也詭於眾意寧
國存身賢智之慮也故易曰窮則變變則通通則久是以自天祐之吉无不利
若夫知其不可而必行之破軍殘眾無補於主身死之日負義於時智者不為

勇者不行
申屠剛傳剛與隗囂書曰夫天所祐者順人所助者信如未蒙祐助令小人受
塗地之禍毀壞終身之德敗亂君臣之節汙傷父子之恩眾賢破膽可不慎哉
蘇竟傳竟與劉龔書曰今年比卦部歲坤主立冬坎主冬至水性滅火南方之
兵受歲禍也德在中宮刑在木木勝土刑制德今年兵事畢已中國安寧之效
也
郎顗傳陽嘉二年公車徵顗乃詣闕拜章曰易內傳曰凡災異所生各以其政
變之則除消之亦除伏惟陛下躬日昃之聽溫三省之勤思過念咎務消祗悔
夫寒往則暑來暑往則寒來此言日月相推寒暑相避以成物也今立春之後
火卦用事當溫而寒反逆時節由功賞不至而刑罰必加也宜須立秋順氣行
罰正月三日至乎九日三公卦也三公上應台階下同元首政失其道則寒陰
反節　易中孚傳曰陽感天不旋日　去年已來兌卦用事類多不効易傳曰有
兌無實侫人也有實無兌道人也寒溫爲實清濁爲兌今三公皆令色足恭外



厲內荏以虛事上無佐國之實故清濁效而寒溫不效也是以陰寒侵犯消息
易曰天道無親常與善人是故高宗以享福宋景以延年　軒轅者後宮也
熒惑者至陽之精也天之使也而出入軒轅易曰天垂象見吉凶今宮人侍御
動以千計或生而幽隔人道不通鬱積之氣上感皇天故遣熒惑入軒轅理人
倫垂象見異以悟主上　於易雄雖秘歷今值困乏凡九二困者眾小人欲共
困害君子也經曰困而不失其所其唯君子乎唯獨賢聖之君遭困遇險能致
命遂志不去其道陛下乃者潛龍養德幽隱屈厄即位之元紫宮驚動歷運之
會時氣已應然猶恐妖祥未盡君子思患而豫防之　臺詰顗顗對曰三百四
歲爲一德自文帝省刑適三百年而輕微之禁漸以殷積王者之法譬猶江河
當使易避而難犯也故易曰易則易知簡則易從易簡而天下之理得矣今去
奢即儉以先天下改易名號隨事稱謂易曰君子之道或出或處同歸殊塗一
致百慮是知變常而善可以除災變常而惡必致於異　又條便宜四事曰孔
子曰雷之始發大壯君弱臣強從解起今月九日至十四日大壯用事消息之

卦也於此六日之中雷當發聲發聲則歲氣和王道興也易曰雷出地奮豫先王以作樂崇德殷薦之上帝雷者所以開發萌牙辟陰除害萬物須雷而解資雨而潤故經曰雷以動之雨以潤之王者崇寬大順春令則雷應節不則發動於冬當震反潛故易傳曰當雷不雷太陽弱也天網恢恢疏而不失隨時進退應政得失大人者與天地合其德與日月合其明琁璣動作與天相應

襄楷傳延熹九年楷自家詣闕上疏曰夫龍形狀不一小大無常故周易況之大人帝王以爲符瑞

陰識傳識弟興帝召欲封之興固讓貴人問其故興曰貴人不讀書記邪亢龍有悔夫外戚家苦不知謙退愚心實不安也富貴有極人當知足夸奢益爲觀聽所譏貴人感其言深自降挹不爲宗親求位

梁統傳統上疏曰臣聞立君之道仁義爲主仁者愛人義者政理愛人以除殘爲務政理以去亂爲心刑罰在衷無取於輕是以五帝有流殛放殺之誅三王有大辟刻肌之法故孔子稱仁者必有勇又曰理財正辭禁民爲非曰義

范升傳升奏曰天下之事所以異者以不一本也易曰天下之動貞夫一也又曰正其本萬事理

趙咨傳咨遺書勑子胤曰易曰古之葬者衣以薪藏之中野後世聖人易之以棺槨棺槨之造自黃帝始爰自陶唐逮于虞夏猶尚簡樸或瓦或木及至殷人而有加焉周室因之制兼二代復重以牆翣之飾表以銘旌之儀招復含斂之禮殯葬宅兆之期棺槨周重之制衣衾稱襲之數其事煩而害實品物碎而難備然而秩爵異級貴賤殊等自成康以下其典稍乖至於戰國漸至穨陵法度衰毀上下僭襍

朱穆傳穆奏記梁冀曰穆伏念明年丁亥之歲刑德合于乾位易經龍戰之會其文曰龍戰于野其道窮也謂陽道將勝而陰負也今年九月天氣鬱冒五位四候連失正氣此互相明也夫善道屬陽惡道屬陰若修正守陽摧折惡類則福從之矣

陳寵傳曾祖父咸成哀閒以律令爲尚書王莽誅何武鮑宣等咸乃歎曰易稱

君子見幾而作不俟終日吾可以逝矣即乞骸骨去職
王符貴忠篇曰易曰德薄而位尊智小而謀大鮮不及矣是故德不稱其禍必
酷能不稱其殃必大　浮侈篇曰古之葬者厚衣之以薪葬之中野不封不樹
喪期無數後世聖人易之以棺槨桐木爲棺葛采爲緘下不及泉上不泄臭中
世以後轉用楸梓槐栢杶樗之屬各因方土裁用膠漆使其堅足恃其用足任
如此而已
仲長統損益篇曰易曰陽一君二臣君子之道也陰二君一臣小人之道也然
則寡者爲人上者也衆者爲人下者也一伍之長才足以長一伍者也一國之
君才足以君一國者也天下之王才足以王天下者也愚役於智猶枝之附幹
此理天下之常法也
周黃徐姜申屠傳序　易曰君子之道或出或處或默或語孔子稱蘧伯玉邦
有道則仕邦無道則可卷而懷也然用舍之端君子之所以存其誠也故其行
也則濡足蒙垢出身以効時及其止也則窮棲茹菽藏寶以迷國



楊震傳震上疏曰夫女子小人近之喜遠之怨實爲難養易曰無攸遂在中饋
言婦人不得與於政事也　子秉明京氏易上疏曰王者至尊出入有常自非
郊廟之事則鑾旗不駕易曰王假有廟致孝享也諸侯如臣之家春秋尚列其
誡況以先王法服而私出槃遊　孫賜上封事曰女謁行則讒夫昌讒夫昌則
苞苴行惟陛下思乾剛之道別內外之宜崇帝乙之制受元吉之祉　䟽曰不
敢自同凡臣括囊避咎　光和元年虹蜺晝降於嘉德殿賜書對曰於中孚經
曰蜺之比無德以色親昔虹貫牛山管仲諫桓公無近妃宮易曰天垂象見吉
凶聖人則之　曾孫彪時袁術僭亂操託彪與術昏姻奏收下獄劾以大逆孔
融往見操曰楊公四世清德海內所瞻周書父子兄弟罪不相及況以袁氏歸
罪楊公易稱積善餘慶徒欺人耳操遂理出彪　論曰信哉積善之家必有餘
慶先世韋平方之蔑矣
謝弼傳弼上封事曰今之四公惟司空劉寵斷斷首善餘皆素餐致寇之人必
有折足覆餗之凶可因災異并加罷黜

張衡傳　應閒曰學非以要利而富貴萃之貴以行令富以施惠惠施令行故
易稱以大業　思玄賦曰歌曰天地烟熅百卉含蘤　夕惕若厲以省諐兮懼
余身之未勑也　柏舟悄悄吝不飛兮　衡欲繼孔子易說彖象殘缺者竟不能
就
蔡邕傳　釋誨曰蓋聞聖人之大寶曰位故以仁守位以財聚人然則有位斯
貴有財斯富行義達道士之司也　昔自太極君臣始基
論曰董卓一旦入朝辟書先下分明枉結信宿三遷匡導既申狂僭屢革資同
人之先號得北叟之後福屬其慶者夫豈無懷
周舉傳　舉對策曰臣聞易稱天尊地卑乾坤定矣二儀交構乃生萬物萬物之
中以人爲貴故聖人養之以君成之以化順四時之宜適陰陽之和使男女昏
娶不過其時包之以仁恩導之以德教示之以災異訓之以嘉祥此先聖承乾
養物之始也　臣自藩外擢典納言學薄智淺不足以對易傳曰陽感天不旋
日惟陛下留神裁察



黃瓊傳　瓊上疏曰迎春東郊既不躬親先農之禮所宜自勉以逆和氣以致時
風易曰君子自强不息斯其道也
荀爽傳　爽對策曰臣聞之於師曰漢爲火德火生於木木盛於火故其德爲孝
其象在周易之離夫在地爲火在天爲日在天者用其精在地者用其形夏則
火王其精在天温煖之氣養生百木是其孝也冬時則廢其形在地酷烈之氣
焚燒山林是其不孝也　臣聞有夫婦然後有父子有父子然後有君臣有君
臣然後有上下有上下然後有禮義禮義備則人知所厝矣夫婦人倫之始王
化之端故文王作易上經首乾坤下經首咸恆孔子曰天尊地卑乾坤定矣夫
婦之道所謂順也易曰帝乙歸妹以祉元吉婦人謂嫁曰歸言湯以娶禮歸其
妹於諸侯也今尙主之儀以妻制夫以卑臨尊違乾坤之道失陽唱之義孔子
曰昔聖人之作易也仰則觀象於天俯則察法於地覩鳥獸之文與地之宜近
取諸身遠取諸物以通神明之德以類萬物之情今觀法於天則北極至尊四
星妃后察法於地則崑山象夫卑澤象妻覩鳥獸之文鳥則雄者鳴雊雌能順

服獸則牡爲唱導牝乃相從近取諸身則乾爲人首坤爲人腹遠取諸物則木實屬天根荄屬地陽尊陰卑蓋乃天性且詩初篇實首關雎禮始冠昏先正夫婦天地六經其旨一揆宜改尚主之制以稱乾坤之性 夫寒熱晦明所以爲歲尊卑奢儉所以爲禮故以晦明寒暑之氣尊卑侈約之禮爲其節也易曰天地節而四時成春秋傳曰唯器與名不可以假人孝經曰安上治民莫善於禮禮者尊卑之差上下之制也

荀悅傳悅言尚主之制非古也釐降二女陶唐之典歸妹元吉帝乙之訓以陰乘陽違天以婦陵夫違人

李固傳固上疏曰厚等在職雖無奇偉然夕惕孳孳志在憂國

黨錮傳李膺 荀爽詒膺書曰頃聞上帝震怒貶黜鼎臣人鬼同謀以爲天子當貞觀二五利見大人不謂夷之初旦明而未融虹蜺揚輝棄和取同方今天地氣閉大人休否智者見險投以遠害雖匱人望內合私願想甚欣然不爲恨也



何進傳主簿陳琳諫進曰易稱即鹿無虞諺有掩目捕雀夫微物尚不可欺以得志況國之大臣其可以詐立乎

皇甫嵩傳故信都令閻忠說嵩曰天道無親百姓與能

袁紹傳檄討曹操曰潛包禍謀乃欲橈折棟梁孤弱漢室

酷吏周紆傳紆上疏曰履霜有漸可不懲革

宦者呂強傳強上疏曰伏聞中常侍曹節王甫張讓等及侍中許相并爲列侯開國承家小人是用 夫天生蒸民立君以牧之君道得則戴之如父母仰之猶日月雖時有征稅猶望其仁恩之惠易曰悅以使民民忘其勞悅以犯難民忘其死

論曰直言抗議必漏先言之間至感發憤方啟專奪之隙斯忠賢所以智屈社稷故其爲墟易曰履霜堅冰至云所從來久矣今迹其所以亦豈一朝一夕哉

儒林傳光武中興立五經博士各以家法教授易有施孟梁邱京氏 前書云田何傳易授丁寬丁寬授田王孫王孫授沛人施讎東海孟喜琅邪梁丘賀由

是易有施孟梁丘之學又東郡京房授易於梁國焦延壽別爲京氏學又有東萊費直傳易授琅邪王橫爲費氏學本以古字號古文易又沛人高相傳易授子康及蘭陵毋將永爲高氏學施孟梁邱京氏四家皆立博士費高二家未得立

劉昆受施氏易於沛人戴賓　景鸞能理施氏易作易說　洼丹世傳孟氏易作易通論七篇世號洼君通　觟陽鴻以孟氏易教授　夏恭習孟氏易文苑傳　任安受孟氏易　楊政從代郡范升受梁邱易善說經書　張興習梁邱易爲梁邱家宗　戴憑習京氏易　魏滿習京氏易　孫期習京氏易　譙玄能說易子瑛善說易　建武中范升傳孟氏易以授楊政而陳元鄭衆皆傳費氏易其後馬融亦爲其傳融授鄭玄玄作易注荀爽又作易傳自是費氏興而京氏遂衰

孔僖傳僖拜臨晉令崔駰以家林筮之謂爲不吉在縣三年卒

文苑趙壹傳　壹報皇甫規書曰昧旦守門實望仁兄昭其懸遲以貴下賤



蓋見幾而作不俟終日是以夙退自引畏使君勞

譙玄傳玄上書諫成帝曰臣聞王者承天繼宗統極保業延祚莫急胤嗣故易有幹蠱之義詩詠衆多之福

方術傳序曰仲尼稱易有君子之道四焉曰卜筮者尚其占占也者先王所以定禍福決嫌疑幽贊於神明遂知來物者也

謝夷吾傳班固薦謝夷吾書曰臣以頑駑器非其疇尸祿負乘夕惕若厲

逸民傳易稱遯之時義大矣哉又曰不事王侯高尚其事是以堯稱則天不屈潁陽之高武盡美矣終全孤竹之潔

列女　曹大家女誡曰室人和則謗掩外內離則惡揚必然之勢也易曰二人同心其利斷金同心之言其臭如蘭此之謂也

參同契

乾坤者易之門戶衆卦之父母坎離匡郭運轂正軸牝牡四卦汝綸案四卦即乾坤坎離考異謂爲震兌巽艮非是以爲橐籥覆冒陰陽之道猶工御者執銜轡準繩墨隨軌轍處中以

制外數在律歷紀考異中謂卦外謂氣數卽六十卦之火候月節有五六經緯奉日使兼并爲六十剛柔有表裏朔旦屯直事至莫蒙當受晝夜各一卦用之如次序既未至晦爽終則復更始日辰爲期度動靜有早晚春夏據內體從子到辰巳秋冬當外用自午訖戌亥賞罰應春秋昏明順寒暑爻辭有仁義隨時發喜怒如是應四時五行得其序天地設位而易行乎其中矣天地者乾坤也設位者列陰陽配合之位也易謂坎離坎離者乾坤二用二用無爻位周流行六虛往來既不定上下亦無常幽潛淪匿升降于中包囊萬物爲道紀綱以無制有器用者空故推消息坎離沒亡朱子云言二用雖無爻位而常周流乎乾坤六爻之閒猶人之精氣上下周流乎一身而無定所也言不苟造論不虛生引驗見效校度神明推類結字原理爲徵坎戊月精離己日光考異納甲之法乾納甲壬坤納乙癸震納庚巽納辛艮納丙皆有定位而坎納戊離納己無定位日月爲易虞翻注云易字从日下月剛柔相當土王四季羅絡始終青赤白黑各居一方皆稟中宮戊己之功易者象也懸象著明莫大乎日月汝綸案彭曉序云魏所述多以寓言借事隱顯異文密示青州徐從事徐乃隱名而注之前文天地設位云云此易者象也云云皆注文而誤混窮神以知化陽往則陰來輻湊而輪轉出入更卷舒晦至朔旦震來受符當斯之時天地媾其精日月相撢持汝綸案六書故引唐本說文云撢揬也雄陽播玄施雌陰化黃包混沌相交接權輿樹根基經營養鄞鄂汝綸案鄞垠同聲鄞鄂卽垠堮也凝神以成軀眾夫蹈以出蝡動莫不由於是仲尼贊混懞乾坤德洞虛稽古稱元皇關雎建始初冠昏氣相紐元年乃芽滋聖人不虛生上觀顯天符天符有進退詘信以應時考異此書之法以一月爲六節分屬六卦震一兌二乾三巽四艮五坤六每五日爲一節故易統天心復卦建始萌長子繼父體因母立兆基消息應鍾律升降據斗樞考異此又以一月爲十二節以復臨泰壯夬乾姤遯否觀剝坤爲序每二日半爲一節三日出爲爽震受庚西方八日兌受丁上絃平如繩十五乾體就盛滿甲東方案虞氏易繫注日月縣天成八卦象三日莫震象出庚八日兌象見丁十五日乾象盈甲十七日旦巽象退辛廿三日艮象消丙卅日坤象滅乙晦夕朔旦坎象流戊日中則離離象就己戊己土位象見於中日月相推而明生焉故縣象著明莫大乎日月也蟾蜍與兔魄日月无雙明蟾蜍眂卦節兔者一作魄吐生一作精光七八道已訖詘折低下降十六轉受統巽辛見平明艮直于丙南下絃二十三坤乙三十日東北喪其明汝綸案此引經作明今本作朋疑誤節盡相禪與繼體復生龍壬癸配甲乙乾坤括始終朱子所云甲乙丙丁庚辛者乃以月之昏旦出沒言之非以分六卦之方也七八數十五九六亦相應四者合三十陽氣索

滅藏（朱子云一息之間便有晦朔弦望）八卦列布曜運移不失中玄精眇難覩推度效符證居則觀其象準擬其形容立表以為範占候定吉凶發號順時令勿失爻動時（汝綸案爻動下卦節句）上察河圖文下序地形流中稽于人情參同考三才動則循卦節靜則因彖辭乾坤用施行天下然後治可不慎乎御政之首（汝綸案此倒句與史記衛律言必我行也為漢恩者文法相類）管括密微闓舒布寶要道魁柄統化綱紐爻象內動吉凶外起五緯錯順應時感動四七乖戾誃離俯仰（汝綸案誃誃通借爾雅釋言誃離也）文昌總錄詰責台輔百官有司各典所部日合五行精月受六律紀五六三十度度竟復更始原始要終存亡之緒或君驕佚亢滿違道或臣邪佞行不順軌弦望盈縮乖變凶咎執法刺譏結過移主辰極受正優遊任下明堂布政國無害道內以養己安靜虛无元本隱明內照形軀閉塞其兌築固靈株三光陸沈溫養子珠視之不見近而易求黃中漸通理潤澤達肌膚初正則終修幹立末可持一者以掩蔽世人莫知之上德无為不以察求下德為之其用不休（汝綸案上德下德本老子亦如論語所云中人以上中人以下佛家所謂大乘小乘也考異以雌陰化黃包三光陸沈等屬上德謂思慮所不及以雄陽播玄施溫養子珠等屬下德謂為著意用力處又以龍虎分屬殊鑿）上閉則稱有下閉則稱无无者以奉上上有神德居（考異陽在下即陰自上矣所謂孔穴者此也）此兩（汝綸疑當為兩字之誤）孔穴法金氣亦相胥（考異金氣即謂雄陽白虎也）知白守黑神明自來白者金精黑者水基水者道樞其散各一（考異白謂鉛黑謂汞）陰陽之始玄含黃牙五金之主北方河車故鉛外黑內懷金華被褐懷玉外為狂夫（汝綸謂考異白黑分屬鉛汞非也據此文則鉛乃外黑內白金華白也）金為水母母隱子胎水者金子子藏母胞真人至妙若有若无仿佛大淵乍沈乍浮退而分布各守境隅望之類白造之則朱鍊為表衛白裏貞居方圓徑寸混而相拘先天地生巍巍尊高旁有垣闕狀似蓬壺環帀關閉四通踟躕守禦密固閼絕姦邪曲閣相通以戒不虞（汝綸案此為氣行於內之象）可以无思難以愁勞神氣滿堂莫之能留守之者昌失之者亡動靜休息常與人俱是非歷藏法內視有所思履行步斗宿六甲以日辰陰道厭九一濁亂弄玄胞食氣鳴胃吐正吸邪晝夜不臥寐腸鳴未嘗休身體以疲倦恍惚狀若癡百脈鼎沸馳不得清澂居周回立壇宇朝莫敬祭祠鬼物見形象夢寐感慨之心驩意喜說自謂必延期遽以夭命死腐露其形骸舉措輒有違悖逆失樞機諸術甚眾多

千篠有萬餘前卻違黄老曲折戾九都明者省厥旨曠然知所由勤而行之夙
夜不休服食三載輕舉遠遊入火不焦入水不濡能存能亡長樂无憂道成德
就潛伏竢時太乙乃召移居中洲功滿上昇膺籙受圖火記不虛作演易以明
之偃月法鼎鑪白虎為熬樞汞日為流珠青龍與之俱舉東以合西魂魄自相
拘上弦兌數八下弦亦如之朱子云坎離水火龍虎鉛汞其實精氣二者而已精水也坎也龍也汞也氣火也離也虎也鉛也其
法以神運氣結而為丹陽氣在下初成水以火鍊之則凝成丹其說甚異考異偃月疑前下圓後上缺狀如偃月也兩弦合其精乾坤
體乃成二八應一斤易道正不傾考異八日為兌上弦又進八日乃成乾體廿二日為艮下弦又退八日乃成神體自震而
起至乾而滿歷巽而消至坤而盡金入於猛火色不奪精光自開闔以來日月不虧明金不失
其重日月形如常金本從月生朔旦受日符金反歸其母月晦日相包隱藏其
匡郭沉淪於洞虛金復其故性威光鼎乃熺一本作僖考異改熺引說文熺炎也汝綸案喜僖皆熺之借字子
午數合三戊己號稱五三五既和諧八石正綱紀噓吸相貪欲佇思為夫婦黄
土金之父流珠水之母水以土為鬼土填水不起朱雀為火精執平調勝負水
勝火消滅俱死歸厚土三性既合會本性共宗祖考異土屬脾脾主意謂以意使火下而水上相呼吸也金



即火也朱雀疑指心此火字與前章不同別是一火汝綸謂此說非也淮南精神篇呂覽季夏篇注并云心土也此書以水為氣以火為神以金為精上文精
本從月生月亦水也以五行水不生金故變水言月朔旦受日符日亦火也五行火乃克金故變火言日日即神水即氣也此文黃土金之父精生於心流珠
水之母氣生於精水以土為鬼有心為之則氣不柔和也朱雀調勝負疑神以調氣也水勝火消滅言心平則氣順而神亦寂也俱死歸厚土則心氣神三者
會合還其本原矣非有二火也巨勝尚延年還丹可入口金性不敗朽故為萬物寶術士服食
之壽命得長久土遊於四季守界定規矩金砂入五內霧散若風雨薰蒸達四
肢顏色悅澤好髮白更生黑齒落出舊所老翁復丁壯耆嫗成姹女改形免世
厄號之曰真人胡粉投火中色壞還為鉛冰雪得温湯解釋成太玄金以砂為
主禀和於水銀變化由其真終始自相因欲作服食僊宜以同類者植禾以當
黍覆雞用其子以類輔自然物成易陶冶魚目豈為珠蓬蒿不成檟類同者相
從事乖不成寶是以燕雀不生鳳狐兎不乳馬水流不炎上火動不潤下世間
多學士高妙負良才邂逅不遭值耗火亡貨財據案依文說妄以意為之端緒
无因緣度量失操持擣治汝綸案擣乃鑄之借羌石膽雲母及礜磁硫黄燒豫章泥汞相
鍊飛治一作鼓下五石銅以為之輔樞雜性不同種安肯合體居千舉必萬敗欲

黠反成癡彌年至白首中道坐狐疑背道守迷路出正入邪蹊管闚不廣見難
以揆方來若夫至聖不過伏羲畫八卦效天圖文王帝之宗結體演爻辭夫子
庶聖雄十翼以輔之三君天所挺迭興更御時優劣有步驟功德不相殊制作
有所踵推度審分銖有形易侍（一作忖）量無兆難慮謀作事令可法為世定詩書
素無前識資因師覺悟之皓若搴帷帳瞋目登高臺火記六百篇（俞琰云六百篇亦猶六十）
非所趣等不殊文字鄭重說世人不熟思尋度其原流幽明本共居竊待賢者
談昌敢輕為書結舌欲不語絕道獲罪誅寫情寄竹帛恐泄天之符猶豫增歎
息俛仰綴斯愚陶冶有法度未忍悉陳敷略述其綱紀枝條見扶疏以金為隄
防水火乃優游（考異火恐當作入）金數十有五水數亦如之臨鑪定銖兩五分水有餘
（汝綸案有讀又）二者以為真（汝綸案二乃餘字重文非一二之二）金重如本初其三遂不入水二（考異一作火二）
與之俱三物相含受（汝綸案三物金水火即精氣神也考異改為二物非是）變化狀若神下有太陽炁伏
蒸須臾間先液而後凝號曰黃輿焉歲月將欲訖毀性傷壽年形體化為灰狀
若明窗塵摶治并合之馳入赤色門（考異口也）固塞其際會務令致完堅炎火張於



丁（一作下）晝夜聲正勤始文使可脩（考異疑作循唐人循脩多互見）終竟武乃陳候視加謹慎審
察調寒溫周旋十二節節盡更相親（汝綸案親乃新之借字一本相親作觀觀非是）炁索命將絕休死
亡魂魄色轉更為紫赫然成還丹粉提以一丸刀圭最為神（考異粉提乃刀圭未詳汝綸案粉題兩
須見太玄粉提即粉題粉題即前所云顏色悅澤好也）推演五行數較（汝綸案廣雅較明也）約而不煩舉水以激火
奄然滅光榮日月相激薄常在晦朔間水盛坎侵陽火衰離晝昏陰陽相飲食
交感道自然名者以定情字緣其性言金來歸性初乃得稱還丹（俞琰云以金為名以木為
字以木為性以金為情其實則一耳）吾不敢虛說放效聖人文古記題龍虎黃帝美金華淮南鍊
秋石王陽加黃芽賢者能持行不肖毋與俱古今道由一對談吐所謀學者加
勉力留念深思惟至要言甚露昭昭不我欺乾剛坤柔配合相包陽稟陰受雄
雌相須須以造化精氣乃舒坎離冠首光耀垂敷玄冥難測不可盡圖聖人揆
度參序玄基四者混沌徑入虛無六十卦周張布為輿龍馬就駕明君御時和
則隨從路平不邪邪道險阻傾危國家君子居其室出其言善則千里之外應
之謂萬乘之主處九重之室發號出令順陰陽節藏器俟時勿違卦日（汝綸案君子居

（其室以下當是注文）屯以子申蒙用寅戌餘六十卦各自有日聊乘兩象未能究悉在義
設刑當仁施德逆之者凶順之者吉按歷法令至誠專密謹候日辰審察消息
纖介不正悔吝為賊二至改度乖錯委曲隆冬大暑盛夏霰雪二分縱橫不應
漏刻風雨不節水旱相伐蝗虫涌沸山崩地裂天見其怪羣異旁出孝子逆賊
感動皇極近起己口遠流殊域或以招禍或以致福或興太平或造兵革四者
之來由乎胷臆動靜有常奉其繩墨四時順宜與氣相得剛柔斷矣不相涉入
五行守界不妄盈縮易行周流詘信反覆（考異乾納甲壬坤納乙癸震庚巽辛坎戊離己艮丙兌丁重封之法乾下
三爻納甲子寅辰上三爻納壬午申戌坤下三爻納乙未巳卯上三爻納癸丑亥酉震下三爻納庚子寅辰上三爻納庚午申戌巽下三爻納辛丑亥酉上三
爻納辛未巳卯坎下三爻納戊寅辰午上三爻納戊申戌子離下三爻納己卯丑亥上三爻納己酉未巳艮下三爻納丙辰午申上三爻納丙戌子寅兌下三
爻納丁巳丑卯上三爻納丁亥酉未而丙體從子至辰巳外用從午訖戌亥故朝屯則初九庚子之爻當子時六四戊申之爻當卯時暮蒙則初六戊寅之爻
當午時六四戊戌之爻當酉時餘六十卦各以此法推之）晦朔之間合符行中渾沌鴻濛牝牡相從滋液潤
澤施化流通天地神靈不可度量利用安身隱形而藏始乎東北箕斗之鄉旋
而右轉嘔輪吐萌潛潭見象發散精光昴畢之上震出為徵陽氣造端初九潛



龍陽以三立陰以八通故三日震動八日兌行九二見龍初平有明三五德就
乾體乃成九三夕惕虧折神符盛衰漸革終還其初巽繼其統固際操持九四
或躍進退道危艮主進止不得踰時二十三日典守弦期九五飛龍天位加
喜六五坤承結括終始韞養衆子世為類母上九亢龍戰德于野用九翩翩為
道規矩陽數已訖訖則復起推情合性轉而相與循據旋機昇降上下周流六
爻難可察覩故無常位為易宗祖朔旦為復陽氣始通出入無疾立表微剛黃
鐘建子兆乃滋亭播施柔暖黎蒸得常臨鑪施條開路正光光耀浸進日以益
長丑之大呂結正低昂仰以成泰剛柔並隆陰陽交接小往大來輻湊于寅運
而趨時漸歷壯大俠列卯門榆莢墮落還歸本根刑德相負晝夜始分夬陰以
退陽升而前洗濯羽翮振索宿塵乾健盛明廣被四鄰陽終于巳中而相干姤
始紀緒履霜最先井底寒泉午為蕤賓賓服于陰陰為主人遯去世位收斂其
精懷德俟時棲遲昧冥否閉不通萌者不生陰信陽詘沒陽姓名觀其權量察
仲秋情任齊微稚老枯復榮薺麥牙蘖因冒以生剝爛支體消滅其形化炁既

竭亡失其坤一作至神道窮則反歸乎坤元恆順地理承天布宣玄遠幽眇隔閡相連應度育種陰陽之原寥廓恍惚莫知其端先迷失軌後為主君無平不陂道之自然變易更盛消息相因終坤始復如循連環帝王承御千秋常存考異此以十二卦分一月之火候亦通一歲之火候也一月之法二日半為一卦復為震之坤臨為兌之坤泰為乾之坤大壯為乾之震夬為乾之兌乾為乾之乾姤為乾之巽遯為乾之艮否為乾之坤觀為坤之巽剝為坤之艮坤為坤之坤臨為復震大壯為復兌乾為復乾遯為復巽觀為復艮坤為復坤其推演之例以卦名律名辰名三者而言輻湊即太簇俠刻即夾鐘洗濯即姑洗中即中呂昧冥即林伸即申任畜即南閭即亥應即應鐘將欲養性延命郤期審思後末當慮其先人所稟軀體本一无元精雲布因氣託初陰陽為度魂魄所居陽神日魂陰神月魄魂之與魄互為室宅俞琰云呼為陽吸為陰性主處內立置鄞鄂情主營外築完城郭城郭完全人物乃安于斯之時情合乾坤乾動而直氣布精流坤靜而翕為道舍廬剛施而退柔化以滋九還七反八歸六居男白女赤金火相拘則水定火五行之初上善若水清而無瑕道之形象真一難圖變而分布各自獨居類如雞子黑白相扶汝綸案類乃顡之誤字扶為包之借音字也縱橫一寸以為始初四肢五臟筋骨乃具彌歷十月脫出其胞骨弱所一作可卷肉滑若鉛考異鉛疑




飴誤之陽燧以取火非日不生光方諸非星月安能得水漿二氣玄且遠感化尚相通何況近存身且在於心胷陰陽配日月水火為效徵耳目口三寶固塞勿發揚真人潛深淵浮游守規中旋曲以示覽開闔皆合同為己之軸轄動靜不竭窮離氣內朱子云前輩讀為納是也營衛坎乃不用聰兌合不以談希言順以鴻三者既關鍵緩體處安房委志歸虛無無念以為常證難以推移心專不縱橫寢寐神相抱覺寤候存亡顏容寖以潤骨節益堅強辟卻眾陰邪然後立正陽修之不輟休庶氣雲雨行淫淫若春澤液液象解冰從頭流達足究竟復上昇往來洞无極拂拂被容中反者道之驗弱者德之柄芸鋤宿汙穢細微得調暢濁者清之路昏久則昭明世人好小術不審道淺深棄正從邪徑欲速閼不通猶盲者不任杖聾者聽宮商沒水捕雉兔登山索魚龍植麥欲穫黍運規以求方竭力勞精神終年無見功欲知服食法事約而不煩太陽流珠常欲去人卒得金華轉而相因化為白液凝而至堅金華先倡有頃之閒解化為水馬齒闌干陽乃往和情性自然迫促時陰拘畜禁門慈母育養孝子報恩遂相銜嚥咀嚼相吞

（朱子云此二句在俱相貪倂之下不當在此）嚴父施令教飭子孫五行錯王相據以生火性銷金金伐木榮三五與一天地至精可以口訣難以書傳子當右轉午乃東旋卯酉界隔主定二名龍呼於虎虎吸龍精兩相飲食俱相貪倂熒惑守西太白經天殺氣所臨何有不傾狸犬守鼠（俞琰云神守氣）鳥雀畏鸇（俞琰云藥得火）各有其功何敢有聲不得其理難爲妄言竭殫家產妻子饑貧自古及今好者億人訖不諧遇稀有能成廣求名藥與道乖殊如審遭逢睹其端緖以類相況揆物終始五行相克更爲父母母含滋液父主稟與凝精流形金石不朽審專不泄得爲成道立竿見影呼谷傳響豈不靈哉天地至象若以野葛一寸巴豆一兩入喉輒僵不得俛仰當此之時雖周文揲蓍孔丘占象扁鵲操鍼巫咸叩鼓安能令蘇復起馳走河上姹女靈而最神得火則飛不見埃塵鬼隱龍匿莫知所存將欲制之黃牙爲根（俞琰云姹女即汞黃牙即鉛）物無陰陽違天背原牝雞自卵其雛不全夫何故乎配合未連三五不交（汝綸案前文云子午數合三戊己號稱五）剛柔離分施化之精天地自然猶火動而炎上水流而潤下非有師導使其然者資始統政不可復改觀夫雎雄交媾之



時剛柔相結而不可解得其節符非有工巧以制御之（俞琰云神入氣中氣與神合）若男生而伏女偃其軀稟乎胞胎受氣元初非徒生時著而見之及其死也亦復效之此非父母教令其然本在交媾定制始先坎男爲月離女爲日日以施德月以舒光日改月化體不虧傷陽失其契陰侵其明晦朔薄蝕奄冒相包陽消其形陰凝災生男女相須含吐以滋雄雌交雜以類相求金化爲水水性周章火化爲土水不得行故男動外施女靜內藏溢度過節爲女所拘魄以檢魂不得淫奢不寒不暑進退合時各得其和俱吐證符丹砂木精得金乃并金水合處木火爲侶四者混沌列爲龍虎龍陽數奇虎陰數偶肝青爲父肺白爲母腎黑爲子脾黃爲祖三物一家都歸戊己（俞琰云此借五藏以喻五行非用五藏也翠虛篇云肝心脾肺腎腸膽盡是空屋舊藩籬唾涕精津氣血液止可接助爲階梯謂金丹乃無中生有之妙道非有形有質之物所可爲也汝綸案言三物一家者木金水并歸于土也或有心赤爲女句淺人接膂）剛柔迭興更歷分部龍西虎東建緯卯酉刑德並會相見懽喜刑主殺伏德主生起二月榆死魁臨于卯八月麥生天罡據酉子南午北互爲綱紀九一之數終則復始含元虛危（俞琰云虛危者亥子之間陰極陽生之時也）播精于子關關雎鳩在河之

洲窈窕淑女君子好逑雄不獨處雌不孤居玄武龜蛇盤虯相扶以明牝牡畢竟相胥假使二女共室顏色甚姝令蘇秦通言張儀結媒發辯利舌奮舒美辭推心調諧使為夫妻弊髮腐齒終不相知若藥物非種名類不同分齊參差失其紀綱雖黃帝臨爐太乙降坐八公擣鍊淮南調和立宇崇壇玉為階陛麟脯鳳腊把籍長跪禱祝神祇請哀諸鬼沐浴齋戒冀有所望亦猶和膠補釜以硇塗瘡去冷加冰除熱用湯飛龜舞蛇愈見乖張惟昔聖賢懷玄抱真服鍊九鼎化跡隱淪含精養神通德三元精液腠理筋骨緻堅眾邪辟除正氣常存累積長久變形而仙憂憫後生好道之倫隨傍風采指畫古文著為圖籍開示後昆露見枝條隱藏本根託號諸石（俞琰云託五金八石為號）覆謬眾文學者得之韞櫝終身子繼父業孫踵祖先傳世迷惑竟無見聞遂使宦者不仕農夫失耘商人棄貨志士家貧吾甚傷之定錄斯文字約易思事省不煩披列其條實核可觀分兩有數因而相循故為亂辭孔竅其門智者審思以意參焉法象莫大乎天地兮玄溝數萬里河鼓臨星紀兮人民皆驚駭晷景妄前卻兮九年被凶咎皇上覽睎



之兮王者退自改關鍵有低昂兮周炁遂奔走（朱子云害謂為周周害篆隸文皆相似也又訛為固汝綸案此字不敢臆定俞琰改為周天亦恐未然）江淮之枯竭兮水流注於海天地之雌雄兮徘徊子與午（俞琰云子午為陰陽相交木火相會之地丹道上升下降一起一伏與天地同）寅申陰陽祖兮出入終復始循斗而招搖兮執衡定元紀升熬于甑山兮炎火張設下白虎倡導前兮蒼龍和于後朱鳥翱翔戲兮飛揚色五采遭遇網羅施兮壓止不得舉嗷嗷聲甚悲兮如嬰兒慕母顛倒就湯鑊兮摧折傷毛羽漏刻未過半兮龍鱗狎獵起五色象炫燿兮變化無常主潏潏鼎沸馳兮暴涌不休止接連重疊纍兮犬牙相錯拒形如仲冬冰兮闌干吐鍾乳崔嵬以雜廁兮交積相支拄陰陽得其配兮淡泊自相守青龍處房六兮春華震東卯白虎在昴七兮秋芒兌西酉朱雀在張二兮正陽離南午三者俱來朝兮家屬為親侶本之但二物兮末乃為三五（俞琰云三五即房六昴七張二也）三五并與一兮（考異與當作為汝綸案為一與下句文義不屬俞琰改作危一亦恐未然前云三五與一天地至精此當同其旨）都集歸二所（考異云二所未詳俞琰本作一所）治之如上科兮日數亦取甫（汝綸案周禮小宗伯注甫始也老子以閱眾甫王注眾甫物之始也詹霞山改作甫取非是）先白而後黃兮赤色通表裏名曰第一鼎兮食如

大黍米自然之所爲兮非有邪僞道若山澤氣蒸兮興雲而爲雨泥竭乃成塵
兮火滅自爲土若蘖染爲黃兮似藍成綠組皮革煮爲膠兮麴蘖化爲酒同類
易施功兮非種難爲巧惟斯之妙術兮審諦不誑語傳於億代後兮昭然而可
考煥若星經漢兮昺如水宗海思之務令孰兮反復眡上下千周燦彬彬兮萬
徧將可覩神明或告人兮魂靈忽自悟探端索其緒兮必得其門戶天道無適
莫兮常傳與賢者

圜三五徑一分口四八兩寸脣長尺二厚薄勻腹齊正（考異齊卽臍字俞琰本作齊正云本作三齊者）
非坐垂溫陰在上陽下奔首尾武中間文（俞琰云首尾晦朔也中間月望也所謂晦朔月望亦譬喻耳）始七
十終三旬二百六善調勻陰火白黃芽鉛兩七聚（汝綸案兩當爲兩俞琰本作兩七聚）輔翼人贍
理腦定升玄子處中得安存來去遊不出門漸成大情性純卻歸一還本原至
一周甚辛勤（俞琰本此二句上有善愛敬如君臣六字）密防護莫迷昏途路遠極幽玄若達此會乾
坤樂道者尋其根（俞琰本此二句上有刀圭霑靜魄魂得長生居仙村四句）審五行定銖分諦思之不須論
深藏守莫傳文御白鶴兮駕龍鱗遊太虛兮謁仙君錄天圖兮號眞人　鼎器



歌

參同契者敷陳梗概不能純一纖微未備缺畧髣髴今更撰錄補塞遺脫潤色
幽深鉤援相逮旨意等齊所趣不悖故復作此命五相類（俞琰云五當作三）則大易之
情性盡矣大易情性各如其度黃老用究較而可御爐火之事眞有所據三道
由一俱出徑路枝莖華葉果實合蕊正在根株不失其素誠心所言審而不誤
象彼仲冬節竹木皆摧傷佐陽詰商旅人君深自藏象時順節令閉口不用談
天道甚浩曠太玄無形容虛寂不見覩匡郭以消亡謬誤失事緒言還自敗傷
別序斯四象以曉後生盲（考異四象未詳汝綸案此當爲他篇脫簡陳抱一俞琰各有移改）鄶國鄙夫幽谷朽
生挾懷樸素不樂權榮棲遲僻陋忽畧令名執守恬澹希時安平遠客燕閒乃
撰斯文歌敘大易三聖遺言察其所趣一統共論（汝綸案論倫同字）務在順理宣耀精
神神化流通四海和平表以爲歷萬世可循序以御政行之不煩引內養性黃
老自然（汝綸案內讀爲納引內謂道引吐納）含德之厚歸根返元近在我心不離己身抱一毋舍
可以長存配以服食雄雌設陳挺除武都八石棄捐審用成功世俗所珍羅列

三條枝莖相連同出異名皆由一門非徒累句諧偶斯文殆有其眞礫硌可觀
使余敷僞郤被贅愆命參同契微覽其端辭寡意大後嗣宜遵委時去害依託
丘山循遊寥廓與鬼爲鄰化形而仙淪寂無聲百世一下遨遊人間陳敷羽翮
東西南傾湯遭阨際水旱隔并柯葉萎黃失其華榮吉人相乘負安隱可長生
俞琰云此魏伯陽三字隱語委與鬼相乘負魏字也百之一下爲白白與人相乘負伯字也湯遭旱而無水爲易阨之厄際爲卩卩與易相乘負陽字也
五相類
參同契者辭隱一作陋而道大言微而旨深列五帝以建業配三皇而立政若
君臣差殊上下无準序以爲政下至太平服食其法未能長生以養性又
不延年至于剖析陰陽合其銖兩日月弦望八卦成象男女施化剛柔動靜
米鹽分判以經爲證用意健矣故爲立法考異法即注字轉寫誤耳以傳後賢惟曉大象
必得長生强己益身爲此道重加意焉 讚序

## 黃庭經

上有黃庭下有關元前有幽闕後有命門噓吸廬外出入丹田審能行之可長



存黃庭中人衣朱衣關門牡籥蓋兩扉幽闕俠之高魏魏丹田之中精氣微玉
池清水上生肥靈根堅固一作志老不衰中池有士服赤朱橫下三寸神所居中
外相距重閉之神廬之中務脩治玄膺氣管受精符急固子精以自持宅中有
士常衣絳子能見之可不病橫理長尺約其上子能守之可無恙呼噏廬間以
自償保守兒一作完堅身受慶方寸之中謹蓋藏精神還歸老復壯俠以幽闕流
下竟養子玉樹一作入令可杖至道不煩不旁迕靈臺通天臨中野方寸之中至
關下玉房之中神門戶既是公子教我者明堂四達法海員眞人子丹當我前
三關之間精氣深子欲不死脩昆侖絳宮重樓十二級宮室之中五采一作氣集
赤神之子中池立下有長城玄谷邑長生要眇房中急棄捐搖汝綸案當作謠俗專子
精寸田尺宅可治生繫子長流心安寧觀志流神三奇靈閒暇無事脩太平常
存玉房視明達時念大倉不飢渴役使六丁神女謁閉子精路可長活正室之
中神所居洗心自治無敢汙歷觀五藏視節度六府脩治潔如素虛無自然道
之故物有自然事不煩垂拱無爲心自安虛無之居在廉閒寂莫曠然口不言

恬惔無為遊德園積精香潔玉女存作道憂柔身獨居扶養性命守虛無恬惔
無為何思慮羽翼以成正扶疏長生久視乃飛去五行參差同根節三五合氣
要本一誰與共之升日月抱珠懷玉和子室子自有之持無失即欲不死藏金
室出月入日是吾道天七地三回相守升降五行一合九玉石落落是吾寶子
自有之何不守心曉根蒂養華采服天順地合藏精七日之奇吾相舍昆侖之
性不迷誤九源之山何亭亭中有真人可使令蔽以紫宮丹城樓俠以日月如
明珠萬歲照照非有期外本三陽物自來內養三神可長生魂欲上天魄入淵
還魂反魄道自然旋璣懸珠環無端玉戶一作牝金籥身兒一作完堅載地玄一作懸
天道一作乾坤象以四時赤如丹前仰後卑各異門送以還丹與玄泉象龜引
氣致靈根中有真人巾金巾負甲持符開七門此非枝葉實是根晝夜思之可
長存仙人道士非可汝綸案當為奇神積精所致和專仁人皆食穀與五味獨食太和
陰陽氣故能不死天相既心為國主五藏王受意動靜氣得行道自守我精神
光華日照照夜自守渴自得飲飢自飽經歷六府藏卯酉轉陽之陰藏於九常



龍行之不知老肝之為氣調且長羅列五藏生三光上合三焦道飲漿我神魂
魄在中央隨鼻上下知肥香立於懸廱通神明伏於老一作玄門候天道近在於
身還自守精神上下開一作關分理通利天地長生草七孔已通不知老還坐天
門候陰陽下于嚨喉通神明過華蓋下清且涼入清泠淵見吾形其一作期成還
丹可長生下有華蓋動見精立於明堂臨丹田將使諸神開命門通利天道至
靈根陰陽列布如流星肺之為氣三焦起上伏天門候故道闚離天地存童子
調利精華調髮齒顏色潤澤不復白下于嚨喉何落落諸神皆會相求索下有
絳宮紫華色隱在華蓋通六合專守諸神轉相呼觀我諸神辟除邪其成還歸
與大家至於胃管通虛無閉塞命門如玉都壽專萬歲將有餘脾中之神舍中
宮上伏命門合明堂通利六府調五行金木水火土為王日月列宿張陰陽二
神相得下玉英五藏為主腎最尊伏於太陰藏其形出入二竅舍黃庭呼吸廬
間見吾形強我筋骨血脈盛恍惚不見過清靈恬惔無欲遂得生還於七門飲
大淵道我玄廱過清靈問我仙道與奇方頭載白素距丹田沐浴華池生靈根

被髮行之可長存二府相得開命門五味皆至善氣還常能行之可長生

陽信縣志述畧[男闓生謹案此稿光緒癸巳冬先公在陽信時所輯述]

陽信漢舊縣水經注言故城在屯氏別河南北二瀆之間而魏書地形志陽信城有鹽山神祠蓋自漢至元魏陽信縣地在今海豐其西北兼有今直隸慶雲鹽山二縣東南境高齊天保七年省猒次入陽信徙陽信來治馬嶺城馬嶺城乾隆時知縣邱天民云舊圖在欽風之南葉圭綏續山東考古錄云在縣東南三十五里蓋自是陽信南境始廣而縣城始入今縣境內矣隋開皇六年析陽信置無棣縣於是北境遂蹙而陽信縣地乃移而益南此隋以前疆域廣狹之大畧也當陽信未移治馬嶺之時今縣境在前漢宣帝以後爲富平縣地水經注商河東北流逕馬嶺城又東北逕富平縣故城北是其證也酈又引十三州志云富平明帝永平五年改曰猒次是東漢以後縣又爲猒次縣地其前宣帝以前地屬何縣說者互異酈注據高帝封元頃爲猒次侯謂猒次舊名非始明帝蓋復故耳縣西有東方朔冢是謂前漢猒次已在陽信而顏魯公東方像贊



碑記稱猒次在安德縣東北廿二里又爲東方墓碑云訪得先生之墓去猒次城祠廟一里魯公唐世大儒考求古蹟必有依據故不取酈元之說據此則謂前漢猒次在今陵縣今考魏書地形志猒次前漢曰富平不言前漢舊縣是亦以前漢猒次不在陽信酈引應劭云明帝更名亦與十三州志說同均不以富平爲本前漢之猒次酈元一人之言殆不足據是後惟杜佑依酈說故通典謂猒次漢舊縣又爲富平縣自元和志舊唐志寰宇記皆云猒次本漢富平皆不從酈元之舊說非獨魯公爲然今當依以爲據其宣帝以前縣地何屬缺疑可也後漢以來并屬猒次逮齊天保省猒次而地始屬陽信陽信自隋以後北境雖蹙然猒次省入之後南境益廣至宋大中祥符八年詔徙棣州於陽信之八方寺而後南境割隸惠民而陽信幅員乃適得今境[以上郡邑歸併分析]

乾隆時知縣邱天民言元木華黎下棣州今陽信濱州海豐各城均元平章于保保所築今考明天順五年學宮碑云學在縣治南洪武三年知縣王廷因前朝舊址而重建之所云前朝者元也不言宋金城內外亦不見宋金舊蹟是今

治白元始遷元以前宋大中祥符八年所徙者蓋卽今縣與西南五里之城子務九域志稱陽信在州東北四十五里者也隋唐遷徙方志未載要非高齊之舊高齊移治馬嶺城見于寰宇記其稱馬嶺城云在今陽信縣東所云今陽信縣蓋唐時舊城于欽齊乘云馬嶺在縣東十里者亦指唐人舊說所稱縣乃唐縣也元和志陽信南至州六十里唐棣州治在今府城東南四十里之北舊州所謂滔棣州也陽信至州六十里則唐城在惠民北廿里而與馬嶺城東西相直矣武定舊志嘗疑桑樂墅爲古城意或然與魏齊則改縣不改治魏猒次齊陽信皆治馬嶺城舊圖馬嶺城在欽風之南郎天民云今尋其處杳不可得而葉圭綬則直定爲縣東南三十五里蓋準其地望而得之者上溯漢晉則前漢之富平故城卽後漢至晉之猒次縣城魏書地形志云猒次有富城邵續居之目邵城所云富城卽富平城而傳寫脫平字寰宇記引十六國春秋云邵續自號冀州刺史屯富平城不云屯富城知魏志爲誤奪也其時冀州蓋治猒次不云猒次云富平城邵城者魏志從後追記時猒次已徙治馬嶺也漢晉故城武定舊志疑爲桑落墅乾隆時邑人王憲祖辨其非是云城東南三十里欽風鄉之雷家莊北今人猶名之爲邵城窪卽其地也蓋漢晉故城在邵城窪魏齊治馬嶺城隋唐治馬嶺西十里宋治城子務而元以來治今縣城自漢至今城凡五徙而漢之陽信縣故城在今海豐境者不與此列（以上遷置移徙）

陽信自同治以前未經烽燧同治六年直隸梟匪闌入海豐之八里莊陽信警備官軍旋擊破之舉人勞某言於眾曰兵機動矣不可以不備語聞知縣徐家杰然之富紳候選縣丞文東熙出貲千緡繕修器械旗幟攻守之具粗備七年張捻愚自關陝東竄直犯畿輔丁文誠首先勤王未幾諸軍并集驅賊南趨賊踰運河而東連陷南皮鹽山慶雲海豐等縣陽信危急知縣徐家杰集紳士議防守貢生勞芳春爲之規畫方略使其族監生勞慶長及李觀勛文華亭等募子弟爲兵從九魏文祥亦起兵來會分城而守授兵登陴典史許興圻與勞芳春劉仰山文東熙樊文照等晝夜巡防四月十一日賊過城下旌旗彌野蜂擁而至自晨踰午後隊方盡守陴者俯伏堞下莫敢仰視其前驅至城下揮鞭大

呼勿開炮吾不打爾城人心始安賊在縣境數日東至勞家莊西至流坡務縱橫四十里焚燒刼畧以殺戮爲嬉戲慘不忍聞無何提督王正起率兵至城下買果餅閒語守城之法自言追賊之苦三年僅兩戰耳去賊十餘里宿焉是後或馬或步紛至沓來執兵執賊守者不能辨也賊始至居民震怖罷市數日逃寇入城者扶老攜幼露處野宿或數日不食時以典史署爲城防公所勞慶長等各出粟米爲饔飧典史署以食之無益於是徐家杰親至富家啟鑰出菽粟使吏書其數於册自是富人以次輸薪米芻茭城內始定當是時左文襄駐運鎮將軍都興阿駐興濟丁文誠公駐黃河南阻河設險李相國駐德州淮軍諸將及湘楚齊豫滿蒙漢各營跟蹤追擊更番迭進賊左右衝突兵不留行後十餘日賊復擾陽信北路尋南侍衛陳國瑞擊敗之夜引河水灌國瑞軍軍士鳧水得脫賊復東竄越陽信至大沽河口謀欲浮海不果又折西行襲將軍穆圖善於郝家圩穆將軍兵挫休兵陽信陳國瑞擊賊於陽信之竇家圩獲勝閏月廿三日賊復自西南來破陽信之商家圩賊去城甚邇是夕列火如炬車轔



馬嘶徹夜不息翌明居民逃賊至城者襁負相屬塡壕蔽堞婦孺皆負牆壁立不得橫肱車馬首尾相銜近郭二三里不絕家杰令車馬自南北門入擔負自東西門入終朝始畢南關門而村落林薄間賊旗突出有兩賊縛數人至城下使呼城上人索鴉片烟士不應則撾呼者之背城上開炮擊之不中賊殺縛者二人而奔餘人赴水而免頃之騎賊至西門炮擊之退北關見數賊入升屋捉雞守者以獵銃傷賊二人餘賊舁傷者去一賊逼處女上馬女不聽以矟刺殺女及其母黑龍江馬隊伊將官適至以洋鎗擊之穿脛或告曰劉皮戶莊有三騎賊縛九人閉置空室外積柴將焚之家杰遣外委汪彥之率勇出南門陳於東郊騎賊遁去回顧西南高原有黑旗植立城上嚴備以待農民執白梃鋤鈀鍘刀助守日昃角聲起未幾拔黑幟而西日晡數十騎繞城而東旋復西馳拔隊結陣西去抵暮而謐其退也率以前隊殿後後隊作前隊名曰連環陣三路并行中路婦女老弱精銳翼其傍以禦官軍賊退後行視其遺跡自南門外至唐家莊踐而成徑者凡四十有七是夜城守益嚴明晨東郭少年擒一賊來

獻訊無懼色管責亦無語家㳟命窣出斬之好事者剖視其胆大過於雞卵是夜破司家圩又東破霑化之台李莊東至海濱攤場北鋪集市村鎮無不糜爛矣又折而西過馬谷山擾慶鹽以南襲老湘營左翼於且龍城西老湘全軍擊敗之大戰於月陽橋逐北四十里賊夜遁是日張宋營過陽信東郊駐遠家閣賊至商河陳國瑞要而擊之於沙河賊軍斷而爲三大敗而去五月晦復擾陽信北延燒十餘里是夕霖雨不止城上冒雨傳柝穆將軍追賊適至令騎士據城橋據鞍執兵立雨中其吉林馬隊滿洲老黃旗駐西關亦以大車塞巷升屋伏礮以爲犄角老黃旗營官瑞某單騎南馳後有兩騎馳追瑞公大呼城上開炮遏我者賊也礮發不中再發折瑞公馬前足瑞公墜躍積水中賊持踆馬而去瑞公始歸已又從一騎出北郭顧呼城上人曰必救我時賊刦馬者去未遠瑞公與一騎馳奪賊三騎而還復率十餘騎循城堞而南食頃擒兩騎賊而歸呼謂城上人曰擊鼓吹角勿散隊四面禾秫中盡賊也久之賊始去是日擾陽信東鄙而南焚狠邱家燒殺百餘人南至黃河將搶渡是時官軍連營列柵壘壁生色李相國又調集炮船八百陳於南岸賊不得渡據榆林洪福寺勢日蹙官軍數道并集飈湧風發三面蹴賊賊披靡人馬沈溺於河無得脫者捻逆平六月三日露布告捷賊餘孽散落者近城邑則冒爲官軍見乘馬者輒避匿而官軍猶搜剿餘匪報捷後四十餘日陽信始撤城防流民稍稍復業境內死難者男女四千餘人皆報蒙矜卹水圩木寨土堡被破者七所陽信城守凡四月賊薄城者一遶城者二越城而過者四南關亡三人北門內亡一人事定敘城守之勞自知縣以下進秩有差勞芳春以候選教諭保奏縣丞辭不受嘗著戊辰城守紀畧萬餘言今採摭其畧如此以上平定各匪防守形勢

陽信古九河之地水經注屯氏別河有南北二瀆分行陽信故城南北所云故城在今海豐非今縣境酈注又稱商河逕馬嶺城又東北逕富平縣故城北馬嶺城爲高齊猒次縣治富平亦在縣境商河舊經此縣矣今則故道久湮不能定其所在方志家考求古蹟往往傅會元和志鉤盤在陽信縣西北四十里蓋不足據後來地志所云鬲津覆鬴徒駭等愈無根據而今商河惠民境內之徒

駭河其稱已久今之沙河雍正時奉文疏濬直謂之馬頰河皆強今水而被以古名河自商河惠民陽信濱州霑化出入數州縣之地雍正時分縣與修陽信所修自惠民前屯莊入境迆下至岳家灣出境止共長二千九百卌七丈是後有無修濬故籍無考咸豐武定志云見今每遇春融勸民疏浚則固未嘗絕也自咸豐五年黃河北徙由大清河入海黃河一有泛濫即北入徒駭徒駭不能容納即再北而入沙河沙河亦不能容也於是北岸爭堵道口南岸爭決舊埝同治十一年居民請濬沙河知縣徐家燕惠民知縣謝駿聲會勘定議北岸不堵南岸不決而濬河從緩光緒八年以來連歲受漫水之害光緒十三年巡撫張勤果公札令惠民陽信助修濱州沙河堤兩縣并請免派濱工陽信幫修惠民之隄此沙河隄始政前時北岸不堵之案七月武定府德椿札縣修隄并委典史王振軍會勘於是知縣焦維霖始大修沙河北岸之隄示定章程一不攤局費二以隄面出水三尺貫一丈為度三按錢糧匀派分段四段落標記庄名五分段不得爭執六各帶窩鋪鍋灶鍬筐油燭柴糧七椿稭按錢糧匀派八木



椿以高六尺圍五寸為度九分工不得偷減十工不如法仍另修十一取土於富家之地十二取土在十丈以外十三取遠土一方折二方十四土不得深取不得成坎礙種十五平工二方折一方險工一方折二方十六驗收後乃為完工十七工竣旋有坍塌仍由元村修補十八近村常川看守十九水長時近村轉牌飛調搶險廿抗違轉牌不到一日罰木椿五十枚秫稭二百束二日三日依次加廿一搶險不分彼此合力保護令下民勸趨之十六年張勤果公發銀五千兩修惠民陽信兩縣沙河隄十七年以上游商河境內郭家堰決口下游均被其害於是商河惠民陽信海豐霑化五縣共修之成隄卌里直隸慶雲亦請於直隸總督李相國派員費銀一千六百兩來工協修先是光緒九年惠民修徙駭河隄前巡撫陳公令陽信助其役及焦維霖修沙河隄成凡出入惠民境內者均由陽信修守近年陽信利病此地為尤重要此外別無散泉池澤以境內幹水支水散泉池澤

近年州縣春秋祠祀各神均未新加封號其名儒從祀學廡者康熙五十四年

增祀范仲淹一人雍正二年復前明罷祀者林放蘧瑗秦冉顏何鄭康成范甯六人增祀縣亶牧皮樂正子公都子萬章公孫丑諸葛亮尹焞魏了翁黃幹陳淳何基王柏趙復金履祥許謙陳澔羅欽順蔡清陸隴其凡廿人乾隆二年復前明罷祀者吳澄一人而崇聖祠從祀於雍正二年增入張廸皆已載在會典通禮諸書自此後道光朝增祀八人二年增祀劉宗周三年增湯斌五年增祀黃道周六年增祀陸贄呂坤八年增祀孫奇逢廿三年增祀文天祥廿九年增祀謝良佐咸豐朝增祀七人元年增祀李綱二年增祀韓琦三年增祀公明儀七年增祀子產九年增祀陸秀夫十年增祀曹端而崇聖祠配饗亦於七年增入孟皮同治朝增祀五人二年增祀毛亨方孝孺呂枬七年增祀袁燮十年增祀張履祥光緒紀元以來增祀六人元年增祀陸世儀二年增祀許慎三年增祀河間獻王四年增祀張伯行五年增祀輔廣十八年增祀游酢凡乾隆以後續增從祀者廿六人而劉向鄭衆盧植皆議復祀而未准屈原顏芝楊萬里陳瓘黃震劉因夏良勝楊繼盛呂維祺等皆請從祀而議駁者（以上春秋祀典學廟陪祀）



## 藏書錄目

書錄自二劉七略分別部居迄乎唐代乃有四部厥後晁志陳錄尤爲著稱惟是流別既失統攝愈難子目標分叢瑣難紀此有二故著述日繁家法不立一也條次百家識鑒未逮二也梅伯言云自黃農以來下到周取其近今者焉不然則僞自秦漢以來下到今取其近古者焉不然則俾今依之爲錄斷代標題庶覽其遺文於古今升降之故或有考焉若夫總攬九流區分指趣則吾豈敢同治癸酉仲摯父記於揚州舟中

易　書　詩　儀禮（黃氏士禮居校刊宋嚴州本）　周禮（黃氏校刊嘉靖本）　禮記（張敦仁覆宋撫州本）　左氏春秋傳（果親王刊本）　公羊春秋傳（汪氏問禮堂刊宋紹熙本）　穀梁春秋傳　論語　孟子（戴東原校趙注本）　爾雅　孝經　十三經（于氏積古樓本）　十三經注疏（武英殿本）　老子（易州石本姚氏章義本）　莊子（世德堂本姚氏章義本二）　管子　韓子　墨子（畢秋帆本）　晏子（全椒吳氏覆宋本）　荀子（嘉善謝氏校本）　國語（湖北局覆士禮居本）　國策（湖北局覆士禮居本）　逸周書（抱經堂本）　夏小正　山海經（郝蘭皋注本）　楚辭（明刻集注本）　呂氏春秋　孫吳司馬法（淮南局覆平津館本）　內經

明刻宋林億等校正王砯注本　靈樞明趙府居敬堂本
右先秦古書其諸經注疏乃漢唐經學以古經無單行本故入此
史記明震澤王氏本汲古閣本明北監本金陵局本　揚子法言秦氏石研齋覆宋紹平監本　漢書北監本殘補金
陵局本　列女傳揚州阮氏覆宋金氏本　淮南子莊逵吉校本　鹽鐵論　白虎通抱經堂本　許
氏說文汲古閣後人毛扆仿北宋本　漢紀明嘉靖本　方言戴東原疏證本　傷寒論金匱黃坤載注本
急就章王氏玉海本
右漢人著述凡錄以所得先後爲次不以時代後并倣此
三國志馮夢禎校南監本武英殿本金陵局本　後漢紀明嘉靖本　後漢書明本汲古閣金陵局本　宋
書北監本　北魏書北監本　顏氏家訓抱經堂本　文心雕龍黃崑圃注本　洛陽伽藍記
曹陶謝三家詩　庾開府集　徐孝穆集　文中子中說　元經　廣雅王氏
疏證本　廣韻張刻本曹刻本　齊書北監本　水經注戴東原校本　黃庭經查聲山寫本　周髀
算經
右魏晉六朝人著述



晉書北監本　隋書北監本汲古閣本　南北史北監本　梁書北監本　陳書北監本　北齊書
北監本　後周書北監本南監本　貞觀政要明大字本　唐律義疏孫淵如覆宋本　通典明本武英殿本
元和姓纂．初學記　蓺文類聚　李翰林集宋本繆覆宋本　杜工部集千家注本錢箋本　王孟韋柳
玉勾草堂本　陸宣公奏議者介春刻本　昌黎集王伯大本東雅堂本　柳先生集　王孟韋柳
四家詩　韋蘇州詩　李義山集馮孟亭注編本錢楞仙補朱鶴齡注本　舊唐書揚州校勘本
九經字樣石本孔顨軒本　五經文字石本孔顨軒本　經典釋文通志堂本　李長吉詩
右唐人著述五代文士絕少故附入焉
舊五代史掃葉山房本　新唐書北監本　新五代史北監本汲古閣本　程子易傳金陵局本
詩集傳　四書注　蔡氏書集傳　陳氏禮記集說并金陵局本　朱子小學吳仲軒刻
本　近思錄江愼修注本　司馬温公書儀蘇州局本　資治通鑑胡刻本蘇州局本　鄭氏通
志武英殿本　馬氏文獻通考武英殿本　通鑑外紀　名臣言行錄　通鑑紀事本末
班馬字類．景祐集韵曹氏本　東都事畧　五代會要．九經三傳沿革例
遂初堂書目　郡齋讀書志　直齋書錄解題　元豐九域志　太平寰宇

記　太平廣記　大觀本草　本草衍義　事類賦　范文正集　六一居士
集明嘉靖本　臨川集　傳家集　東坡集　元豐類藁　范忠宣集　施注蘇詩
商邱宋氏本　黃山谷集　晁具茨集　斜川集　放翁集汲古閣本　李注荆公詩集
玉海　困學紀聞
右宋人著述金人附此
宋史
右元人箸述
元史北監本　歸震川集　徐昌穀集　通雅　左忠毅集
右明人箸述
御纂周易折中　詩書春秋傳說彙纂　禮記義疏　明史　大清一統志
大清會典　庭訓格言　雍正上諭　四庫全書提要　簡明書目　康熙字
典　御批通鑑輯覽內府小字本　大清一統志表　顧亭林集　音學五書　日
知錄黃汝成集釋本　禹貢錐指　天下郡國利病書　讀史方輿紀要　尚書疏證



錄湖北局本　四書釋地　歷代史表　經義考　曝書亭集　方侍郎集　姚惜抱
集　授鶉堂筆記　劉海峯集　王漁洋集惠氏訓纂本　全謝山集　壯悔堂集
西魏書　明史藁　讀禮通考　五禮通考　讀書雜志　經義述聞　經
傳釋詞　戴氏遺書　段注說文　禮書綱目　禮經釋例　儀禮正義　爾
雅正義　爾雅義疏　古經解鉤沈　春秋賈服注輯釋　焦氏叢書　經韵
樓叢書　揅經室集　十三經校勘記　洪穉存集　吳穀人集　續資治通
鑑　洪範正論　梅伯言集　一統地輿圖　感應篇注　九經古義　皇清
經解　聖武記　國朝先正事畧　曾文正文鈔　胡文忠集　江忠烈集
汪龍莊遺書　制科小錄　瀛寰志畧　朱子年譜　考定朱子世家　鄉黨
圖考　性理精義　疑年錄抄本　曝書襍記
右國朝人箸述
文選胡克家仿宋本明刻五臣注本金陵局仿汲古閣本湖北局補胡刻本　玉臺新詠宋本　百家詩選商邱宋氏
本　唐人萬首絕句選淮南局本　古詩選金陵局本　古詩箋　明詩綜　宋文鑑

古文苑　古文辭類纂吳刻本康刻本　七十家賦鈔　國朝駢體正宗　欽定四書
文
石總集男闓生謹案此稿未竟所載書目未及十一覽者知公編輯之意可也
藏碑錄目
周石鼓文　周吉日癸巳碑　周□季子寶盤　周南宮盂鼎　周無專鼎
漢李翕西狹頌并五瑞圖　漢李翕析里郙閣頌　漢李翕碑　漢曹全碑
漢北海景府君碑　漢建初元年買山石刻　漢趙羣臣上壽石刻并劉夒題
名　漢祀三公山碑　漢元氏封龍碑　漢白石神君碑　漢武始公石闕銘
漢楊孟文碑　漢敦煌太守裴岑紀功碑　漢孔褒碑　漢孔謙碑　漢孔
彪碑　漢孔龢百石碑　漢孔宙碑并碑陰　漢魯峻碑并碑陰　漢魯孝王石刻
漢史晨饗孔廟碑并後碑　漢禮器碑　漢孔廟碑陰　漢建安十五年瓦
漢永壽□□瓦　漢三公山碑　漢建安十三年二月磚　漢建武十三年磚
漢五銖錢範　漢侯宜君磚　漢日華磚　漢君子館磚　漢王字磚　漢



五金錢範　漢雙魚甑　漢雙兕甑　漢宜富貴甑　漢修倉陶甑　漢仲閒
磚　漢子秋磚　漢十魚磚　漢廣字磚　漢富貴磚　漢長生無極瓦　漢
長樂未央瓦　漢與天無極半瓦　漢大吉錢範　漢孔子見老子畫象　漢
鄭固碑殘字　漢范式碑有額　漢武榮碑有額　漢朱君長題字　漢膠東令王
君廟門殘碑　漢鄭固碑有額　漢汝南周府君殘石有跋　漢府門之廢石刻
魏曹植孔子廟碑　魏嘉平元年玉璦　魏公卿將軍上尊號奏
吳天璽紀功碑　吳九眞太守谷朗碑
晉爨寶子碑　晉劉韜墓碑　晉元康七年瓦　晉任城太守孫夫人碑
宋爨龍顏碑有額并碑陰　宋大明三年甎
梁蕭憺東碑　梁蕭秀西碑額　梁蕭秀東碑額　梁蕭秀西碑陰　梁蕭宏
神道東石柱題刻　梁蕭宏神道西石柱題刻　梁蕭景神道西石柱題刻
魏李憲墓碑　魏邸珍碑　魏高貞碑　魏張猛龍碑　魏三級浮圖頌　魏
鄭道昭上碑并下碑附白雲堂中明壇歲在壬辰等刻　魏孝文帝神道碑　魏滄州刺史王僧碑

魏靈藏石像記　魏北海高太妃石像記　魏楊大眼石像記　魏道匠石
像記　魏孫秋生石像記并碑陰題名　魏尉遲夫人爲牛橛造石像記　魏鄭長
猷石像記　魏高樹石像記并題名　魏廣川侯太妃石像二記　魏平乾虎石
像記　魏張元祖造石像記　魏始平公像記　魏元詳造彌勒像記　魏鞠
彥雲墓志　魏元燮造釋迦像記　魏杜景暉等造像記　魏孝文弔比干文
魏高植墓志銘　魏王偃墓志銘　魏趙阿歡造彌勒像記
東魏高湛墓志銘　東魏武定八年謝智明造像記　東魏興和三年饒陽僧
道穎勒題名　東魏比丘僧惠等造阿彌陀像記　東魏修孔子廟碑
北齊張市貴造像記　北齊高叡爲父造像記又爲己身并妃造像記　北齊高叡建靈
字碑　北齊李琮墓誌銘　北齊廣固南寺造寶塔記　北齊申嗣邕郭巨碑
跋[illegible]　北齊比邱尼靜遊等造彌勒像記　北齊高叡造朱山靈塔記　北齊
天保二年廣武太守葛岳力造像記　北齊皇建元年劉米僧造像記　北齊
穆叔造像記　北齊美功造像記　北齊敬顯儁碑　北齊夫子廟碑　北齊



臨淮王像碑
北周比丘僧緒造像記
隋元氏蕭侯八都壇記　隋南和澧水橋碑　隋吳嚴墓誌銘　隋曹子建碑
隋龍藏寺碑　隋蘄州刺史李則碑　隋南宮令宋君象碑　隋修孔子廟
碑
唐八都壇神君之實錄　唐杞王慎觀無量壽佛經　唐實際寺碑　唐李德
裕詩　唐吳道子畫鍾馗　唐安國寺碑　唐蘇靈芝斷碑　唐大智禪師碑
唐醴泉銘碑陰　唐李謙碑　唐開業寺碑　唐田公德政碑　唐李陽冰
般若臺碑　唐明徵君碑　唐信法寺碑　唐陀羅尼經咒　唐李公夫人碑
唐鐵像碑頌　唐太宗御製晉祠銘并碑陰題名　唐昭慶令王君德政碑　唐
太山銘　唐解慧寺三門樓讚并序　唐龐履溫碑　唐北嶽廟碑　唐北岳碑
唐風動碑　唐佛頂尊勝陀羅尼經　唐廣平宋文貞公神道碑　唐開元
注道德經　唐散騎常侍開府儀同三司使持節司空公碑　唐佛頂尊勝陀

羅尼咒　唐奚虛已所書陀羅尼經　唐阿閦佛陀羅尼神咒　唐趙州浮圖陀羅尼經　唐李翺叔氏墓誌　唐劉守忠墓誌　唐淸河郡夫人張氏墓誌　唐杜夫人墓誌　唐楊公女子書墓誌　唐景龍觀鐘銘　唐鐵塔鑄佛頂尊勝經序　唐元結中興頌　唐裴度諸葛丞相碑　唐涿州文宣王廟碑　唐景雲二年張難敵造像記　唐龍朔二年高舉傍造像記　唐顯慶六年造像記　唐淸河張府君少鄰合祔墓誌銘　唐嶲州都督姚懿碑　唐王徵君臨終口授銘　唐馬周殘碑　唐李爲仁所書某公碑　唐王行儼殘碑　唐金仙長公主碑　唐大智禪師碑陰　唐臧懷恪殘碑　唐梁守謙功德銘并序　唐臧希晏碑　唐順陵殘碑　唐勅內莊宅使牒　唐濮陽令于孝顯碑　唐韓仲良碑　唐李陽冰怡亭銘　唐薛氏造石浮圖記　唐國行貞造石浮圖記　唐蓋文達碑　唐兗公頌天寶　唐文宣王廟新門記大歷　唐文宣王廟記咸通　五代梁造尊勝幢記　宋閣道碑陰　宋眞宗文宣王贊　宋承天觀碑陰　宋蘇軾豐樂亭記　宋



眞正府龍興寺大悲寶閣序碑　宋佛頂尊勝陀羅尼淨經　宋端拱二年龍興寺碑　宋北嶽廟碑　宋蔡襄泉州萬安橋記　宋天禧五年東嶽廟碑并碑陰題名　宋天聖十年尊勝陀羅尼經幢　宋元祐己巳都水吳安持義門寺詩　宋大觀御筆八行詔旨蔡京題名　宋景祐二年刻心經　宋端拱三年石像題名　宋至僊壇鑪銘　宋歐陽脩瀧岡阡表

遼雲居寺記　遼藏掩舍利記

金承安三年壽公和尚碑　金勤公法師塔銘　金寶公法師塔尊勝陀羅尼經幢　金源氏登科題名　金太和辛酉董榮造石[illegible]師記　金天會興學記　金大定脩學記　金佛頂尊勝經幢

元三皇聖像記　元佛頂尊勝陁羅尼幢　元趙子昂金剛經　元河間景德寺陁羅尼塔　元聖廟斷碑　元杏壇碑　元未央宮瓦硯銘　元廟學聖旨　元寧國院珍公實行碑　元趙居仁廟學記并碑陰題名　元海北廣東道提刑案察使王公綱神道碑　元延祐七年重脩東嶽行宮記并碑陰　元孝感聖姑

廟碑　元歐陽圭齋王氏世德碑　元湖州路同知常興州事李公墓額　元
同知杭州路總管府事李公思敬墓碑　元梁氏先塋記　元龍興寺祝延長
生碑　元扁鵲碑　元八蜡廟碑　元定光舍利塔記　元蕭總管塋碑　元
脩孔顏達墓碑　元慶和寺記　元吳氏世慶碑　元嘉號文宣王碑

採訪志書條例男閻生謹案此同治辛未壬申間官深州時擬稿

一應採書目國朝官書如大清會典大清一統志皇朝三通等書必應詳考其他古書則廿四史通鑑三通爲綱而唐宋元明各家詩文集及畿輔名賢所著書爲輔前志搜採簡畧往往掛一遺萬此宜急補者也又如太平御覽事文類聚淵鑑類函及一切類書叢書苟有一事足資考證皆應廣爲蒐輯冀免貽譏疏陋

一採本境名賢著述大凡名人詩文多載鄉里故事信而有徵即文理未優而苟有纂述亦皆一鄉俊傑如詩集則倡和何人遊歷何地文集則傳狀碑銘記事之作送序集序酬應之篇均應詳考又或筆記日記等書所記耳目見聞亦



多鄉邦文獻諸若此類即可補志書之闕亦應將所著之書採入藝文志者不可忽也

一採傳狀碑誌詩書舊家必有家傳墓誌行述等作流傳子孫其各姓譜諜雖或但紀族系絕少傳述究之既有成書亦必偶可採

一採金石碑刻北方多有魏唐舊碑此乃希世之寶不可多見然物聚所好若搜苔剔蘚掘土披沙亦未必不可儌倖一得雖或斷磚殘石愈可珍惜此綴學嗜古之士所以訪碑寰宇也汴宋以後碑稍易矣深屬俗多祠廟一廟必有數碑若得文字精妙之碑固屬深幸即村民瑣事土音俚語既經刻石亦必有事可考今無論何項碑刻但金石上一字均應廣爲搜尋大者摹搨小者抄錄

一採舊志查乾隆時三縣合修道光時又復專修州屬最爲疏陋今應仍兼修三縣惟近來各處志書每增修一次輒刪去地方舊事益以無益繁文現查得深州雍正乾隆兩舊志皆比道光時志書爲詳備應仍訪求萬歷康熙兩次舊志其三縣志書惟饒陽新志多載舊事安平新志係康熙時所修歷年過久如

賦役一門不載明時事蹟不知國朝賦役皆依明萬歷時舊例此不可不循流溯源者也至如武強新志則多從乾隆時州志內抄出殊無足觀應訪求三縣舊志以搜前代故實

一應採鄰縣志書查畿輔通志雍正時所修南北文獻大約畧備於此不可不考至如鄰境志書亦往往能補本處志書之缺如張燕興修書院松相列之奏牘深志不載而南宮縣志載之明深州知州錢楩論滹沱為九河之徒駮其說本於漢書今深州志不載而靈壽獻縣志書皆載之此不可不採者又況國初時深州屬正定武饒安三縣屬晉州而衡水則屬深州此皆有彼此互備之事若能得此數處未改隸時舊志尤佳其餘則滹沱河水經過各州縣者其志書宜兼考矣

一考州莊道里一統之志詳載州縣一州一縣之志必應詳載村莊定州志有鄉社一門其意最善然不知繪圖之法其摹畫各村室廬樹木一一設色類畫家所為識者譏之今不復為圖但記一村之四至八到有無官道行通何處其



小道幾道可通何村其村人幾戶幾口地幾頃幾畝人則分注男女地則詳記沙鹹覽其大勢而人民之多寡土地之廣狹皆可考焉亦纂志者之要端也

一採河道遷徙滹沱一河為四屬鉅患自古遷徙不常記載闕漏吾常聽斷獄訟檢康熙乾隆時地契內稱因河水經過之後復行丈清立界又有一村之中謂村東為河東村西為河西者此皆往時河水所經過者也應將此河查訪某時在某處經過某村若干里數一一考證明晰至於昔有今無之河其故道在今何處經過何處亦應詳加考核

一採民間習俗舊志多採摭史書畧論風俗寥寥數語既嫌簡少且史氏所言多一方大概不僅為一州一縣而言此不切之陳言也至如冠昏喪祭日用飲食等事往往此縣所載與彼畧同今應詳加訪問某事為此處所有而他處所無者如初喪至土地廟祭神之類某事此處獨為儉嗇某事此處獨為繁費如賽會酬神不惜重資而日食蔬惡之類雖俚鄙不經究係俗尚所係皆應臚列志書以為觀風問俗之助畧舉一隅尚望三反

一採物産貨殖舊志多載穀果花木往往天下所同此不可勝載者今宜採他處所無而此獨有或他處不如此處之佳者始行詳載如深州之桃饒陽之紬之類其土産所生應查明某物最多某物較少又宜記耕種禾稼之功以考民力之勤惰記栽植樹木之法以考物産之興耗又如饒陽好爲商賈以何業爲最多安平好爲工匠以何事爲最盛深武之民農業之外兼營何事以謀衣食蓋四民爲天下所同但舉其最多者以見風會所趨而已至何處廟會何物最爲行銷皆足驗物力之盈縮民用之豐儉在士君子生長里閭此等皆其責任不獨守土之吏所宜詳察也

一採族姓遷流所自北人不重氏族往往宗姓譜衍家無譜諜族無祠堂數典忘祖君子恥之今宜查境內各村某村共有幾姓某姓何時始遷其遷來自何所其族有官宦幾人有進士舉人秀才若干人各識源流以備考覽其源流難知則從蓋闕以示疑事毋質之義歐陽公修唐書特爲宰相世系一表鄭樵通志氏族特立一門名賢用意深遠宜畧師之



一考核輿圖自開方法行而輿圖之學始精歷來志書輿圖極鮮精本言地里者病之方輿紀要爲地理家最善之書而圖獨疏簡乾隆府廳州縣圖藏在內府稱爲絕精自後李申耆氏特善輿圖之學近來胡文忠一統圖依据而擴充之然輿圖之學最重目驗足迹未經據載籍而摹繪之其合於舊說而背於今地者多矣今以一州之人考一州之土地四至八到皆平生熟游之處形勢瞭然必使圖之廣輪方袤與地形長短趲銳一一符合無任彼此齟齬俾覽者有考焉

一採方言地方風氣百里不同大率隨山川而變而語言聲音爲尤甚宦游其地必宜審知昔韓退之到陽山謂言語不通畫地爲字郊甸近土決無慮此然方音之異者不能以意會而得也自揚子雲著方言一書小學家宗之近時陸稼書著靈壽志立方音一門最爲善法然尚病其過畧也深州去靈壽不遠間有同者蒙欲就陸書而擴充之凡土音之異皆詳載焉每接語州人或聽斷獄一字一語必籍記之其四屬之自爲異者則士大夫當能周知而詳辨也願各

採摭佐吾不逮●

一採人物四屬人文在古極盛明以來稍凌夷矣其見於舊志者不採舊志遺漏事實亦間補綴焉近百年來薦紳之族耆宿之士隱逸獨行之流豪傑任俠孝義奇偉之節苟有一善足書皆宜詳加搜訪文武科第選舉例得特書其鄉會何科均應考核明白不得歧誤至如貞女烈婦前州亦已廣採有遺逸未報者亦續以聞此外則百餘年間宦斯土者有何政績可入名宦去後之思亦士大夫所樂道者望毋稍畧焉

一採舊事史冊所載尙矣國朝已來有逸事舊聞傳於耆老而事無載者雖或語奇事誕亦應臚列以備採擇左氏太史公之書其荒遯不根者多矣苟有資於故實好奇之士所不廢也

一採古蹟方志必載古蹟淺者為之輒多附會光武一過滹沱而沿河各州縣皆附會光武遺蹟此等適足貽譏大雅耳且如州境之馮家營大馮營小馮營大抵皆昔時營田之所配姓為名今獨謂大馮營為馮異故址則他村所稱宋家營蔡家營者更欲附會何人耶又如安平之劉光營乃謂為光武舊營從古不聞有稱光武為劉光者何其陋也至古蹟之確在此地者往往無從稽考如陸澤故城祭遵壘李晏鎮博陵橋等地皆見正史今皆不知何處自非博咨周諮何以傳信來者



桐城吳先生日記卷十五終

男 闓生 謹編

門人 劉培極 徐德源 校刊